Guide du Meuble Ancien

© 1984 Editions HERVAS
123, Avenue Philippe-Auguste, 75011 Paris
ISBN 2.903118.12.4

Yves GAIRAUD - Françoise de PERTHUIS

Guide
du
Meuble Ancien

Préface
de
Jacques HITIER
Directeur Honoraire
de l'Ecole BOULLE

EDITIONS HERVAS

Préface

« L'intérêt de la tradition, sa nature et sa valeur
ne sont pas dans l'imitation, mais dans la confrontation. »

André MALRAUX.

es meubles et objets anciens ont toujours attiré l'attention des amateurs d'art et l'on constate que ce mouvement s'est accentué dans ces derniers temps.

Les motivations en faveur de «l'ancien», du mobilier de style – d'époque ou de copie – sont les plus diverses : pour les uns c'est la valeur d'un placement, pour les autres c'est la nostalgie d'un passé, ou une réaction face à notre environnement et c'est peut-être aussi le peu de crédit que l'on accorde à l'ameublement moderne.

Il faut bien admettre qu'à notre époque où un style n'est pas encore affirmé, le meuble ancien peut connaître une certaine vogue : depuis la haute époque en passant par les classiques des XVIIe et XVIIIe siècles, jusqu'aux périodes Directoire et Empire et même celle du XIXe qui, après avoir été méprisée, connaît un nouveau succès.

A cela, on pourrait ajouter les meubles régionaux qui ont été quelque peu abandonnés ou délaissés et que l'on redécouvre.

Devant cette tendance en faveur du meuble ancien, il appartient de faire la part entre l'authentique, qui fut contemporain de son époque, et la copie bien souvent interprétée sans scrupule, qui alimente un marché pour le moins actif.

Ne pas oublier non plus que les meubles anciens qui sont parvenus jusqu'à nous sont les meilleurs témoins de leur temps, mais il s'agit alors de bien distinguer le bon meuble d'époque de celui dit «de style» qui, parfois accommodé, en a perdu tout l'esprit.

Aussi assiste-t-on à une certaine confusion dans ce marché, où à côté des véritables meubles anciens, on rencontre aussi ceux dont l'authenticité est parfois discutable ou des copies de meubles difficilement identifiables.

Il était donc opportun qu'un ouvrage complet leur fût consacré afin de mieux cerner ce domaine.

Le «Guide du meuble ancien» que j'ai le plaisir de présenter est à la fois une encyclopédie et un recueil de connaissances que ne doit pas ignorer l'amateur d'art, le professionnel ou le simple curieux qui s'intéresse au meuble. Il leur fera découvrir de la manière la plus attrayante et la plus attachante ce monde des meubles anciens, encore trop souvent méconnu.

C'est en quelque sorte un outil de travail qui donne un des panoramas les plus complets à ce jour sur le mobilier d'autrefois.

Après des considérations générales sur le meuble, sa fonction, son rôle social et économique, l'histoire des styles est abordée avec les caractéristiques de chaque époque : ses sources d'inspiration, ses influences et son évolution.

Le décor propre à chaque période est analysé, relié bien souvent aux procédés de fabrication et aux formes.

Les chapitres sur la construction du meuble et sur les matériaux utilisés, d'un aspect plus technique, permettent de mieux situer le meuble ancien. Puis une partie importante de l'ouvrage est consacrée à la description des différents types de meubles où se trouvent reproduits des documents photographiques les plus représentatifs.

Afin d'être complet, l'ouvrage comporte une liste des termes techniques les plus couramment employés, un dictionnaire des ébénistes, une bibliographie, etc.

Tout le mérite de cet ouvrage revient aux auteurs : Yves GAIRAUD et Françoise de PERTHUIS qui ont su traiter avec beaucoup de talent ce vaste sujet, résultat d'une parfaite connaissance du meuble et fruit de laborieuses recherches.

Ce guide vous révélera la place importante occupée par l'art du mobilier en France, non seulement durant les XVIIᵉ et XVIIIᵉ siècles, époques auxquelles il est fait souvent référence, mais à toutes celles de son histoire et dans ses traditions.

Puisse cet ouvrage aider à reconnaître ce que l'on appelle «le bon meuble», des «créations» stylisées ou des adaptations qui en dénaturent l'esprit. Autant l'un force l'admiration autant les autres sont condamnables.

C'est la leçon que nous pouvons tirer de ce livre, pour l'exemple qu'il nous donne du passé; mais il s'adresse aussi à ceux qui aujourd'hui écrivent l'histoire avec les formes d'expression artistique, comme à ceux qui sont chargés de créer «le meuble ancien de demain».

Pour toutes ces raisons, je ne peux que conseiller d'ouvrir ce livre, utile et enrichissant, mais aussi, livre à faire rêver...

Jacques HITIER
Directeur honoraire
de l'École BOULLE.

Plan général

Première partie

Les meubles et leur destination
Les matériaux
La construction du meuble
Menuisiers et ébénistes
Les formes
Les procédés de décoration
Ornementation, décors et répertoire décoratif
Du style et des styles
Chronologie des styles
Style, époque, copie et faux
Les meubles anciens : une valeur refuge

Deuxième partie

Armoires
Bibliothèques et vitrines
Buffets, bahuts, crédences et vaisseliers
Bureaux et tables à écrire
Cabinets
Coiffeuses et tables de toilette
Coffres et panetières
Commodes et chiffonniers
Consoles, dessertes et encoignures
Lits
Meubles d'appoint
Secrétaires
Sièges
Tables
Tables à jeux et billards

Troisième partie

Lexique des termes techniques
Dictionnaire des ébénistes
Bibliographie
Index des noms propres
Quelques adresses utiles

Scieurs à la presse.
C'est un procédé qui est utilisé au XVIIIe siècle, jusqu'au XIXe. La pièce de bois «bûche» est serrée dans un étau. Deux scieurs la débitent avec une scie à lame mince.

Les meubles et leur destination

Si l'on se réfère au «Petit Robert», le mot meuble désigne tout ce qui peut être déplacé ou qui est réputé tel par la loi et, d'une façon plus restrictive, tout objet mobile de forme rigide qui concourt à l'aménagement de l'habitation.

Selon Édouard Rouveyre[1] qui cite les travaux d'Edmond Bonnafé : «Quel que soit le sens que l'on attache au mot mobilier, il faut distinguer trois catégories : 1° le meuble proprement dit, c'est-à-dire le meuble construit, l'architecture mobilière; 2° les garnitures et les tentures, œuvres du tapissier; 3° le menu meuble qui comprend le reste» (miroirs, flambeaux, pendules, luminaires, vases, etc.).

Cet ouvrage n'a pour ambition que d'étudier la première catégorie de pièces françaises que l'on trouve dans les familles, chez les antiquaires ou en ventes publiques pour une période comprise entre la fin du Moyen Age et la veille de la Seconde Guerre Mondiale.

Un témoignage du progrès économique et social

L'histoire et la vie du meuble ont été dominées par trois phénomènes nés de l'évolution historique, économique et sociale, qui se sont développés parallèlement. Le premier est le passage progressif de la polyvalence – le coffre qui sert à ranger et sur lequel on s'assoit – à la spécialisation : création de sièges destinés à une seule fonction comme celle d'assister à une partie de cartes, par exemple. Le second est la diffusion graduelle du mobilier dans toutes les classes de la société. Le troisième est la réduction de l'écart en richesse et somptuo-sité qui sépare les pièces de prestige des plus communes, réduction qui se traduit par un appauvrissement quelquefois relatif des premières et un enrichissement des secondes. Encore faut-il préciser que l'évolution de ces trois phénomènes n'a rien de linéaire. L'art du meuble comme l'art en général ne s'épanouit durablement que dans les périodes de paix, à des moments où normalement les relations commerciales se développent. Pour le meuble aussi comme pour toute activité économique et artistique, la prépondérance politique, industrielle et commerciale, la prospérité sont génératrices de progrès tant qualitatifs que quantitatifs. Mais les accidents de l'histoire viennent très souvent troubler cette ordonnance trop schématique.

Un rôle utilitaire et décoratif

Si, à l'origine, le meuble n'a qu'une fonction utilitaire, il devient vite, à l'occasion, un signe révélateur de la position hiérarchique de son utilisateur et acquiert, par la suite, un rôle décoratif. Mais si le mobilier est, comme les arts, le reflet de la vie sociale, il répond d'abord à des besoins élémentaires de deux natures. Le premier concerne le corps de l'homme qu'il faut épargner, reposer : c'est ainsi que naissent les sièges et les lits qui permettent de s'asseoir, de s'allonger et de dormir. Le second relève des objets que l'homme fabrique et dont il s'entoure dès qu'il abandonne la vie de nomade pour se sédentariser. Il produit, il confectionne des tables pour les poser, des coffres et des armoires pour les «serrer», c'est-à-dire pour les protéger des intempéries, de l'humidité, en particulier, des animaux et... de la convoitise des autres hommes.

9

La forme et la destination de l'habitation, le mode de vie, la richesse économique, ce que nous appelons aujourd'hui le pouvoir d'achat, jouent un rôle primordial dans l'évolution du meuble.

Des meubles qui voyagent

Jusqu'au XVe siècle, en raison de leurs fréquents déplacements, les seigneurs, seuls usagers de meubles ou presque, propriétaires de plusieurs résidences, utilisent un mobilier qui reste portatif pour l'essentiel. Il se limite à des tables souvent montées sur des tréteaux, à des coffres, à des bancs et à des lits qu'on peut transporter sur des chariots. Le coffre est la pièce d'ameublement la plus usitée : c'est le meuble à tout faire. Non seulement on y enferme les objets précieux ou le linge mais il remplit aussi l'office de bahut pour le transport et sert de banc, voire de table.

Si le mot «tiroir» avec la signification qui lui est donnée aujourd'hui apparaît dès la fin du XVIe siècle (1583), sa fonction existe, à cette date, depuis plus de cent ans sous le nom, entre autres, de «layette» : «qui se coule et s'emboîte dans les séparations d'un buffet ou d'un cabinet».

Au XVe siècle apparaît le dressoir dont l'usage est réservé aux personnages d'un rang élevé. Des degrés dont le nombre était souvent fixé par l'étiquette le distinguent du buffet; il diffère aussi de la crédence, sorte de petit buffet destiné à faire l'essai du vin et des viandes. On voit apparaître à la même époque des pupitres tournants, des lutrins qui viennent s'ajouter aux bahuts et à la chaire, siège réservé au maître.

Plus nombreux et sédentaires

Au cours de la Renaissance (de la fin du XVe au milieu du XVIe siècle), le mobilier devient stable, permanent, son caractère décoratif s'accentue. Il se développe tant en qualité qu'en quantité. La chambre demeure la pièce essentielle, dotée d'une double fonction d'usage et d'apparat. Les petits cabinets, meubles types de cette époque, ne sont plus exactement des garde-robes, mais ils sont également destinés aux curiosités, aux antiquités que l'on redécouvre alors. La crédence, elle, se transforme et s'agrandit

pour devenir un buffet à deux corps. La table prend plusieurs visages : si les modèles à tréteaux démontables subsistent, naissent également à ce moment des productions fixes, lourdes à larges pieds ou à colonnes avec une solide traverse longitudinale supportant des balustres. La chaise se diversifie et se simplifie en raison du développement de la vie sociale. Le goût pour le confort s'accentue : les sièges sont rembourrés, quelquefois recouverts de cuir piqué de clous.

Dans la première moitié du XVIIe siècle qui correspond à peu près au règne de Louis XIII, à la salle souvent unique et vaste succède un fractionnement du logis en plusieurs pièces, chacune ayant une affectation spéciale et, par conséquent, un mobilier qui lui est propre. Les sièges prennent de l'ampleur, s'équipent de hauts dossiers se prêtant à la fois aux exigences du costume et du confort. C'est à ce moment qu'apparaît le canapé, siège à plusieurs places en bois et recouvert de tissus. La table jusque-là rectangulaire ou carrée prend parfois la forme ronde ou ovale.

D'après Henri Havard[2] : «ce n'est guère qu'à la fin du XVIe siècle que la table et le tapis qui la couvre (bureau, de bure) vont commencer à faire corps ensemble et que le bureau en tant que meuble à destination et à forme précise va commencer d'exister.» Et Henri Havard d'ajouter «adaptation qui coïncide avec le grand mouvement littéraire qui marque l'aurore du XVIIe avec l'éclosion du beau langage, avec l'apparition des précieux et des précieuses».

D'autres historiens précisent que le mouvement de centralisation politique et le développement de l'administration et des règlements, celui du droit écrit n'est pas étranger à la propagation de ce type de meuble qui prendra d'autres silhouettes selon les destinations particulières auxquelles il sera voué.

Les meubles à la parade

Pendant le règne de Louis XIV, (1643-1715), l'antichambre, la chambre et le cabinet (lieu de rencontre et de travail) composent l'essentiel des appartements. Le cabinet prend plus d'importance et son agencement présente de nombreuses variantes. Les meubles, comme l'ensemble des réalisations du grand siècle, sont faits pour éblouir et paraître : le fauteuil devient un meuble d'apparat dont l'usage est réservé au maître de maison, comme il l'est au roi à la Cour. Imposants, les meubles ne sont pas facilement transportables. Une série de nouveautés apparaissent ou se développent à ce moment comme la bibliothèque, les encoignures, la commode, la transformation du coffre et du bas d'armoire; des médailliers se substituent aux cabinets (meubles).

Sous la Régence (1715-1723) on assiste à un mouvement de rénovation de tout ce qui touche à la décoration intérieure. Comme le souligne Pierre Verlet[3] : «Décorer, meubler plutôt que construire, rénover, aménager, plutôt que bâtir entièrement de neuf, tel est le principal attrait».

Les petits meubles de l'intimité

L'apparition du petit salon intime baptisé boudoir donne naissance à de nombreux petits meubles comme le bonheur-du-jour, la chaise longue, le sofa, les tables à ouvrages, le chiffonnier ou le secrétaire. La console, sorte d'épanouissement du pied de table, destinée à supporter un imposant plateau de marbre, placée entre deux fenêtres, sous une glace ou encore contre une cloison, face à la cheminée, se transforme en petite console d'applique murale. Les bras des fauteuils et les consoles qui les portent sont placés en retrait de façon à mieux accueillir les robes «à paniers».

Au cours du règne de Louis XV (1723-1774) et sous l'influence de Madame de Pompadour, les orientations prises sous la Régence s'accentuent. Les philosophes et les encyclopédistes contribuent à développer l'intérêt pour les métiers, les techniques, mais aussi le confort et l'habitation. Les meubles destinés à des pièces plus intimes deviennent plus légers; les sièges sont rembourrés et capitonnés. Les dossiers s'adaptent mieux à la forme du dos, permettant un repos de meilleure qualité : ils se cintrent et s'arrondissent, le cabriolet apparaît. Parmi les nouveautés, on compte de nombreuses petites tables de petites dimensions : guéridons, poudreuses, coiffeuses, vide-poche, chiffonnières, tables à café, à lire, à jouer, à

manger, ainsi que des sièges gracieux destinés à la conversation tel le «vis-à-vis».

Sous Louis XVI (1774-1789) le niveau de vie augmente et le goût du confort s'accentue : les appartements moyens se multiplient, le petit salon tend à se substituer au boudoir : des meubles plus petits voient le jour. L'usage des roulettes s'étend. La culture et le goût des objets d'art et de collection se développent, d'où l'apparition de vitrines-bibliothèques.

Peu de créations de meubles nouveaux pendant la Révolution et le Directoire si ce n'est celle de meubles à secrets (secrétaires, bureaux, commodes) dont l'usage se développe en ces périodes politiquement troublées où les complots, les conspirations et la peur jouent leur rôle dans l'histoire du mobilier.

Sous l'Empire, l'admiration pour Rome, nourrie au cours de la Révolution, se développe et amène les ornemanistes et menuisiers-ébénistes du temps à baptiser de noms latins ou helléniques certaines créations ou adaptations du moment, comme le somno, genre de table de nuit, l'otio, variante de la chaise longue, le lavabo, sorte de nécessaire de toilette, le paphos, lit de repos drapé et l'athénienne, apparue sous Louis XVI, enfin les consoles tripodes servant de porte-fleurs, de cassolette, de brûle-parfum ou de réchaud. La coiffeuse à glace mobile, rectangulaire ou ovale est un des meubles types de cette époque, de même que la psyché, grande glace pivotant entre deux colonnes d'acajou et la méridienne, canapé à trois dossiers inégaux.

Le meuble bourgeois

Pendant la Restauration se développe l'usage de l'armoire à glace ainsi que celui du fauteuil crapaud né sous la Révolution fauteuil bas et trapu sans bois apparent. Apparaissent également le «confortable» aux côtés enroulés, rembourré et capitonné, le seymour, large siège caractérisé par un dossier coupé à angles droits. Il n'apparaît pas de meuble nouveau sous Louis-Philippe ni sous la Seconde République. Le mobilier, à l'image de la société, s'embourgeoise et s'empâte. C'est le triomphe de la chambre à coucher où trône l'armoire à glace, cellule ouatée et capitonnée où la société se reproduit et assure sa pérennité.

Durant le règne de Napoléon III on ne crée rien d'original. Les créations techniques et industrielles se mettent au service de réminiscences ou de pastiches du passé, tendances encouragées par l'impératrice Eugénie qui voue un véritable culte à Marie-Antoinette, et par l'architecte Viollet-le-Duc. La ligne directrice de ce moment de l'histoire se traduit par une formule à la fois ambiguë et paradoxale : la vulgarisation du luxe qui correspond au développement d'une société affairiste, composée de nouveaux riches aux fortunes rapidement établies dans l'industrie ou la spéculation immobilière.

La révolution du XXᵉ siècle

Les formes connaissent, à partir de 1895, la véritable révolution du Modern Style ou de l'Art Nouveau. Peu de créations de meubles nouveaux si ce n'est des meubles à musique, des cabinets et des secrétaires.

Confrontée aux problèmes fonctionnels que pose l'exiguïté des appartements, la période 1919-1930 se montre plus inventive. C'est ainsi qu'on s'applique à ce qu'une même pièce puisse satisfaire à plusieurs usages. On crée le mobilier pour pièce unique comme le living-room avec des armoires-couchettes, des divans-lits, des cosy-corner, des bibliothèques-secrétaires, des bibliothèques-secrétaires-vitrines, des meubles à multiples usages, fonctionnels ou à systèmes. Cette tendance s'est maintenue : les types de meubles que nous utilisons aujourd'hui ont peu changé, les seules nouveautés concernent des inventions intéressant les loisirs et la communication : meubles-radio, meubles-télévision, meubles-bars, meubles stéréo, etc.

---

1. *Analyse et compréhension des œuvres et objets d'art.* Librairie Eugène Rey Éditeur.
2. *Le dictionnaire du mobilier.*
3. *Styles, meubles et décors,* Larousse.

Les matériaux

Le bois, bien sûr, mais aussi les métaux, les tissus, les pierres comme le marbre, l'ivoire, l'os, l'écaille, le galuchat et, pour des périodes plus récentes, le verre ou les matières plastiques sont utilisés pour fabriquer les meubles.

Le choix des matériaux varie selon les styles, mais aussi selon l'environnement politique et économique. En période d'expansion, de découvertes ou d'ouverture, des matériaux rares, exotiques sont régulièrement employés. En temps de guerre, ou plus simplement de troubles, de récession économique ou d'isolement relatif, comme durant le blocus continental par exemple, menuisiers et ébénistes font appel à des matériaux indigènes ou moins chers.

De même, la destination sociale du meuble ou encore sa fonction (utilitaire ou décorative) commandent le choix des matériaux. L'évolution des techniques influe, de son côté, relativement peu, encore faut-il souligner que l'amélioration de certains procédés, la mécanisation de certaines opérations, la précision grandissante de l'outillage permettent, notamment dans la seconde partie du XIXe siècle, d'utiliser à meilleur marché des procédés de décoration auparavant réservés à des pièces de très grand luxe.

Le bois

Le bois, qu'il soit utilisé à l'état brut – le bois naturel – teinté, peint, vernis, laqué ou doré, constitue à travers toute l'histoire du mobilier le matériau de base.

Bois de bout et bois de fil

Après l'abattage, l'arbre est débité en planches selon deux principaux procédés. Le premier consiste à obtenir des planches ou feuilles de bois en coupant le tronc perpendiculairement à l'axe du fût, c'est le bois de bout; le second consiste à les obtenir en débitant le tronc dans le sens de la longueur, dans le sens des fibres, c'est le bois de fil. On peut aussi scier en oblique par rapport à l'axe du tronc : c'est le bois de travers. Cette coupe donne, selon l'angle choisi, des feuilles de bois aux effets décoratifs utilisés dans la marqueterie pour composer, entre autres, des motifs en «ailes de papillons» ou en ellipses.

Veines et fibres

Les bois présentent selon leur essence ou (et) la façon dont ils ont été débités, puis assemblés, des aspects divers, tenant à la disposition des veines et des fibres. On obtient un bois *moiré* lorsque les fibres sont orientées dans des sens différents. On dit d'un bois qu'il est *maillé* lorsqu'il est traversé par un ensemble concentré de veines qui recoupent le fil, au cœur du bois par exemple. *Moucheté,* dans le cas de l'érable notamment, sa surface est parsemée avec plus ou moins de régularité de petits nœuds. *Chenillé,* il produit, en raison d'accroissements crénelés, un placage au fil discontinu. *Pommelé* (comme l'acajou, par exemple), il présente des forme arrondies de petite taille. *Ronceux,* il est débité du côté des racines ou au départ des grosses branches, et offre des fibres emmêlées et non régulières. Le terme *flammé* qualifie le plus souvent une variété d'acajou dont la surface présente des motifs évoquant des flammes. Un bois est *satiné,* par opposition à mat, lorsqu'il offre une surface brillante. Quant aux loupes, il s'agit de feuilles de bois débitées dans une excroissance d'arbre, notamment pour le frêne, le noyer, l'orme et l'amboine.

De l'âge du chêne à celui de l'acajou

Le bois, matériau privilégié par excellence de l'art du menuisier et de l'ébéniste, est, pour certains historiens du meuble, le moyen idéal de raconter le meuble à travers l'utilisation des diverses essences. Ainsi Edouard Rouveyre[1] considère six grandes périodes : l'âge du chêne (au XIIIe siècle) ; l'âge mixte du chêne et du noyer (aux XIVe et XVe siècles) ; l'âge du noyer (au XVIe siècle) ; l'âge de l'ébène (au XVIIe siècle) ; l'âge des bois de couleurs ou bois des îles (dans la première partie du XVIIIe siècle) et l'âge de l'acajou massif (de la fin du XVIIIe siècle à la fin de la première moitié du XIXe siècle).

Les bois indigènes

LE CHÊNE : A tout seigneur tout honneur, le chêne, bois dur et solide, de couleur[2] brun clair, est le bois le plus utilisé jusqu'au XVIIe siècle ; il est souvent employé pour fabriquer les grands meubles de rangement (armoires, buffets, etc.) mais aussi pour le bâti des meubles en bois de placage marquetés des XVIIIe et XIXe siècles.

LE NOYER : Légèrement moins dense que le chêne, mais au grain fin et serré, le noyer se sculpte parfaitement bien, qualité qui en fera un des bois préférés des sculpteurs de la Renaissance. Le noyer aux variétés plus ou moins foncées peut s'utiliser massif ou en placage.

LE HÊTRE : C'est un bois clair et rosé auquel on a recours pour les carcasses des lits et des sièges. sensible à l'attaque des vers, le hêtre était souvent recouvert de peinture pour le protéger.

LE CHÂTAIGNIER : Bois brun et tendre, il a la propriété de ne pas être attaqué par les insectes et par les vers. Utilisé pour la confection des charpentes mais aussi des meubles en Bretagne, dans les Cévennes et le Poitou, entre autres.

LE MERISIER : Cerisier sauvage, bois fruitier brun clair rouge et assez tendre, il se prête au lustrage, fréquemment utilisé dans les meubles régionaux.

LE POIRIER : Bois rose clair, le poirier est souvent utilisé tant en menuiserie qu'en ébénisterie et se prête facilement à la teinture. Noirci, il remplace – à meilleur prix – l'ébène. sous le Second Empire on l'emploie dans des meubles incrustés ou peints.

LE CERISIER : Bois au grain fin, proche du merisier, il est utilisé en marqueterie, mais également en menuiserie.

LE BUIS : Bois très dur, jaune brillant, il est employé en marqueterie ou pour confectionner de petits objets.

L'ORME : Bois brun jaune. Utilisé dans les meubles régionaux.

LE FRÊNE : Ce bois souple et clair est utilisé en marqueterie. Débité dans des loupes, il est employé dans des placages en usage sous la Restauration.

L'OLIVIER : Ce bois dur, de couleur chamois, veiné, est employé en marqueterie et dans les meubles du midi de la France et d'Italie.

LE PEUPLIER : Ce bois tendre et clair entre dans la fabrication de meubles courants et celle d'accessoires comme les tiroirs, fonds de meubles, etc.

LE TILLEUL : Bois clair et tendre, il est utilisé pour les moulures et en sculpture.

LE SAPIN : Bois tendre et clair, très courant, il sert à fabriquer les bâtis de meubles simples. Abondant en régions de montagne, il est souvent employé massif et peint.

Les bois exotiques

L'ÉBÈNE : Bois lourd et noir, originaire d'Afrique ou d'Asie, de Madagascar, de l'Ile Maurice et de Ceylan, entre autres, il est utilisé en Europe dès le XVIe siècle pour la confection de cabinets allemands, hollandais, puis, un peu plus tard, français. L'ébène employé en marqueterie a donné son nom à la corporation des ébénistes pour les différencier des menuisiers, fabricants de meubles en bois massif. Très coûteux, l'ébène a souvent été remplacé par le poirier noirci, au XIXe siècle, surtout sous le Second Empire.

L'ÉBÈNE DE MACASSAR : C'est une variété d'ébène veiné de clair, très usité au XIXe siècle et pendant la période Art Déco.

L'ACAJOU : Bois d'Afrique et d'Amérique, des Antilles (de Cuba) de couleur rougeâtre, d'une dureté moyenne, résistant aux insectes et aux vers, il est employé massif ou en placage, plus rarement en marqueterie. Existant sous des formes diverses (flammé, moucheté, moiré, etc.), il est connu des Anglais dès la fin du XVIe siècle sous le nom de Mahogani. Introduit massivement en France à la fin du XVIIIe siècle, son arrivée coïncide avec l'anglomanie alors à la mode. Utilisé en bois massif dans les ports où il est déchargé (Bordeaux, Nantes, La Rochelle, Saint-Malo), et dans leur arrière-pays immédiat, il sert à fabriquer les fameux meubles dits «de port». Il est employé plus souvent en placage, notamment à la fin du règne de Louis XVI, sous l'Empire, puis sous la Restauration et la première partie du XIXe siècle et enfin par les ébénistes Art Nouveau, puis Art Déco.

L'AMARANTE: Bois dur de couleur violette, originaire d'Amérique (Guyane) et d'Afrique, il est utilisé dans les placages ou marqueteries des XVIIIe et XIXe siècles.

L'AMBOINE: Ce bois dur et rouge aux veines claires, au grain serré tire son nom d'une île des Moluques. Il est utilisé en marqueterie au XVIIIe siècle. Débité dans des loupes, il sert de bois de placage et d'incrustation sous la Restauration.

L'AMOURETTE: Bois très dur au grain serré, violet aux veines brunes, originaire des Antilles et de Guyane, il est employé dans les marqueteries des XVIIIe et XIXe siècles.

LE BOIS DE VIOLETTE: Bois exotique au grain dur, brun violet, de la famille du palissandre, il se prête parfaitement au polissage en donnant un beau brillant; un des bois de base pour les marqueteries du XVIIIe siècle en association avec d'autres, comme l'amarante.

LE BOIS DE ROSE: Bois exotique dur, principalement originaire du Brésil, il tire son nom de son odeur, sa couleur variant du jaune au rouge. Il a été utilisé couramment au XVIIIe siècle pour la confection de marqueteries savantes en association avec d'autres bois exotiques. Le nom de bois de rose sert également à qualifier tout bois exotique non identifié.

LE CITRONNIER: Ce bois jaune clair,

d'origine méditerranéenne, au grain serré est employé en marqueterie, notamment sous la Restauration où on l'utilise en contraste avec des bois foncés. Le mot citronnier désignait aussi des bois d'espèces diverses dont la couleur rappelait la sienne.

L'ÉRABLE: Blanc jaunâtre, veiné ou moucheté, il se teint facilement. Il est utilisé en placage ou en marqueterie sous l'Empire, la Restauration et le Second Empire.

L'ÉRABLE SYCOMORE: Bois jaune clair, utilisé en marqueterie et pour les intérieurs de meubles.

LE PITCHPIN: Nom donné à certaines variétés de bois de pin, originaires d'Amérique du Nord..

LE PALISSANDRE: C'est une variété sombre, veinée de noir, du bois de violette (voir ce mot) appelé aussi «bois de rose des anglais».

LE SANTAL (ou padouk) : Ce bois dur d'Asie et d'Afrique, de couleur rouge vif est utilisé dans les marqueteries du XVIIIe et pour confectionner des coffrets ou de petits meubles.

LE PALMIER: Bois assez tendre de couleur brune, originaire d'Asie ou d'Afrique, il a été utilisé dans les marqueteries du XVIIIe siècle et pour confectionner certains meubles Art Déco.

LE THUYA: Bois dur, brun rougeâtre, débité dans les loupes, il est originaire d'Afrique du Nord; utilisé en placage ou dans les marqueteries du XIXe siècle.

LE BAMBOU: Il a été utilisé à la fin du XVIIIe siècle puis sous le Second Empire pour réaliser en particulier des tables et des sièges de jardins d'hiver.

Les métaux

Peu de meubles ont été entièrement exécutés en métal. Les inventaires royaux rapportent que certains meubles — fort rares — de la cour de Louis XIV étaient en argent massif. On compte aussi des tables, notamment des guéridons, en bronze, des meubles de jardin en fonte de fer, mais la plupart du temps, les métaux sont utilisés en accessoires ou en éléments décoratifs.

Parmi les accessoires, les ferrures, gonds, charnières, chutes (ornements descendants d'un montant ou d'un pied de meuble), poignées de tiroirs, entrées de serrures et sabots (garniture placée au pied d'un meuble pour le renforcer) sont, soit en fer forgé, soit en cuivre (ce métal moins sensible à l'oxydation est surtout utilisé dans les régions maritimes), soit en bronze. Le bronze, alliage aux proportions diverses d'étain et de cuivre, joue un grand rôle dans l'histoire du meuble, surtout les bronzes dorés qui connaissent un grand succès au XVIIIe siècle, âge d'or de l'ébénisterie et au XIXe siècle dans les répliques de meubles du XVIIIe.

De l'utile à l'agréable

D'abord destiné à protéger certaines parties du meuble, les garnitures métalliques, le plus souvent en bronze, tout en remplissant leur fonction, prennent un caractère décoratif de plus en plus important. Certains bronzes deviennent de véritables sculptures et ajoutent à la beauté et à la valeur – esthétique et vénale – de la pièce. Certains maîtres bronziers comme Saint-Germain, Caffiéri ou Thomire, deviennent aussi célèbres que les plus grands ébénistes avec lesquels ils travaillent. Ces bronzes sont la plupart du temps moulés, fondus, repris au ciselet et au burin, décorés, puis dorés. Au XVIIIe siècle le procédé de dorure le plus employé pour les métaux est la dorure au mercure. Elle consiste à appliquer un amalgame d'or et de mercure sur la pièce, le mercure étant ensuite éliminé par volatilisation, obtenue en chauffant la pièce. Ce procédé permet d'obtenir une grande qualité, mais il est fort préjudiciable à la santé des artisans, intoxiqués par les vapeurs de mercure. Au XIXe siècle la dorure au mercure disparaît grâce à l'utilisation du procédé de la galvanoplastie, technique électrochimique fixant l'or sur son support grâce à l'action d'un courant électrique. Les métaux – étain, cuivre ou argent – entrent aussi dans la composition des marqueteries savantes mises au goût du jour au XVIIe siècle par André-Charles Boulle, plus rarement dans celles des meubles du XVIIIe siècle, avant de réapparaître dans les copies ou pastiches de la fin du XIXe exécutés «dans le goût de Boulle».

L'ivoire, la nacre, la porcelaine...

On fait appel à d'autres matériaux pour la décoration, à commencer par l'ivoire ou l'os employés au naturel ou teinté, en incrustation dans les marqueteries ou en garniture, et cela à toutes les époques où sont utilisés ces procédés de décoration. Citons aussi la nacre, la corne, l'écaille de tortue, le galuchat (peau de requin ou de roussette teintée et poncée) ainsi que différentes pierres dures utilisées en incrustation ou en cabochon aux XVIe et XVIIe siècles.

La porcelaine à décor polychrome est également employée sous forme de plaques ovales ou rectangulaires surtout dans les dernières années du règne de Louis XV et les premières du règne de Louis XVI.

Les tissus

Depuis l'origine les tissus jouent un grand rôle dans l'art du mobilier, notamment pour les garnitures de sièges ou de lits. Les tissus se distinguent selon les matières premières dont ils sont composés, selon la manière dont ils sont tissés et selon la façon dont le décor est obtenu.

ÉTOFFE : Nom général de tout tissu de soie, de lin, de laine ou de coton servant à confectionner des vêtements ou des garnitures d'ameublement.

TOILE : Tissu fait de fils de lin, de chanvre ou de coton obtenu par la division de l'ensemble des fils de chaîne en deux nappes, les fils de rang impair et les fils de rang pair qu'on baisse et qu'on relève pour passer le fil de trame.

TOILE DE COTON BRODÉE : Toile de coton sur laquelle on a appliqué à l'aiguille des motifs ornementaux avec des fils de soie, de lin, de laine, de coton, parfois de métal (or ou argent). La broderie peut avoir d'autres supports que la toile de coton.

BROCHAGE : Méthode originaire du Moyen-Orient qui consiste à passer par dessus des fils de trame et de chaîne un fil de soie, d'argent ou d'or pour exécuter des dessins.

SOIE : Etoffe faite avec la substance filiforme sécrétée par les vers à soie.

SATIN : Tissu en soie sans trame apparente caractérisé par son brillant.

Essences de bois

Acajou de fil

Acajou moucheté

Acajou plaqué

Amarante

Amboine

Châtaignier

Chêne clair

Chêne «rustique»

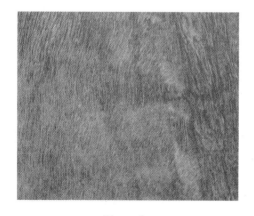

Citronnier

Ébène

18

Ébène de Macassar

Érable sycomore

Frêne

Loupe de frêne

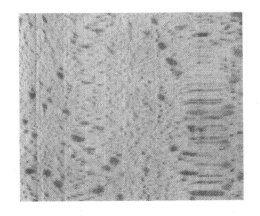

Hêtre

Racine d'if

Merisier

Noyer

Palissandre

Pitchpin

Poirier

Bois de rose, placage

Bois de rose

Placage de satiné

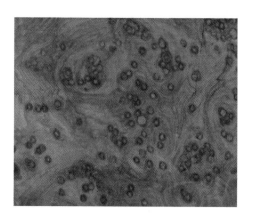

Thuya

Bois de violette

DAMAS : Le damas tire son nom de la ville de Damas d'où il est originaire. Tissu réversible à ramages ton sur ton : ses dessins apparaissent à l'endroit en satin sur fond de taffetas mat, à l'envers en taffetas sur fond de satin brillant.

BROCART : Riche étoffe de soie rehaussée de dessins brochés d'or ou d'argent.

CRÊPE : Tissu de laine fine ou de soie présentant un aspect ondulé, obtenu par des fils à forte torsion, le plus connu est le crêpe de Chine réalisé en soie naturelle. Certains crêpes sont rehaussés de broderies, de décors peints ou brochés.

LAMPAS : Étoffe de soie ornée de grands motifs tissés de couleur différente du fond.

BROCATELLE : Étoffe à la chaîne de soie et à la trame de fils, brochée de dessins le plus souvent polychromes.

TAFFETAS : Étoffe de soie dont l'armure est unie.

DRAP : Étoffe résistante en laine pure ou mélangée dont les fibres sont feutrées par le foulage, et à laquelle on fait subir plusieurs traitements mécaniques qui lui confèrent des qualités thermiques.

REPS : Tissu d'ameublement d'armure

«toile» à grosses côtes perpendiculaires aux lisières. Il existe des reps de soie, de laine, de coton ou de laine et coton.

CHIN ou *CHINTE* : Toile de coton originaire des Indes, de couleur bigarrée.

CHINTZ : Tissu en toile de coton, imprimé, présentant un aspect glacé.

VELOURS : Étoffe rase sur une face et couverte de poils dressés très serrés sur l'autre. Les *velours côtelés* présentent des brides qui lorsqu'elles sont coupées forment des côtes parallèles aux lisières. Les *velours pressés* sont obtenus à partir de velours uni dont le poil a été écrasé par le passage du tissu entre deux rouleaux métalliques, chauffés, pressés l'un contre l'autre, dont l'un est gravé de motifs divers. *Les velours frappés* sont obtenus en formant des poches irrégulières sur l'étoffe qui est plongée dans l'eau chaude. Les plis irréguliers ainsi obtenus produisent un effet décoratif.

VELOURS DE GÊNES : Combinaison sur une même étoffe de velours coupé et de velours bouclé.

VELOURS D'UTRECHT : Velours dont la chaîne de liage est en lin et la chaîne de poil en fil de chèvre, la trame étant en coton.

PELUCHE : Tissu analogue au velours, aux poils moins serrés mais plus longs.

CRIN NAPPÉ : Le crin est le poil le plus long du pelage de certains animaux. On le dit nappé lorsqu'il est fixé sur la toile de jute pour confectionner les matelassures des dossiers et des coussins. Il a été utilisé pour rembourrer les sièges. A la fin du XVIIIᵉ siècle Bardel invente à partir du crin des tissus d'ameublement noirs, lisses et luisants que l'on a employé essentiellement pour recouvrir les sièges.

TOILE DE JOUY : Imitant les tissus souples sur lesquels les Indiens exécutaient des dessins colorés, diverses fabriques, dès la fin du règne de Louis XIV ont produit des toiles imprimées. Tout comme les tissus indiens, ces toiles étaient peintes à la main. Oberkampf mécanisa et industrialisa le procédé à partir de 1759 à Jouy-en-Josas, procédé qui connut un grand succès et fut abondamment imité dans toute la France à la fin du XVIIIᵉ et au début du XIXᵉ siècle.

TAPISSERIE : Tissu spécial que l'on exécute sur un métier de haute ou basse lice et qui se distingue des étoffes tissées ou brochées en ce qu'il constitue toujours un ouvrage fait à la main et non au moyen d'un mécanisme répétant à l'infini le même motif. La tapisserie est composée d'une chaîne dont l'ensemble des fils est de couleur neutre et d'une trame (formée de fils de soie ou de laine colorés) dessinant le décor exécuté d'après un carton.

Sous la Renaissance le damas est l'étoffe la plus usitée pour couvrir les sièges. Concurrencé par le velours et la tapisserie dès le XVIIᵉ siècle, il cède peu à peu la place à la tapisserie qui se prête à des décors plus variés. Sous Louis XIV on voit triompher les velours cannelés, les velours de Gênes frappés, les soies brochées d'or, les satins peints ou brodés. Soieries et tissus de Lyon affirment leur prédominance aux dépens des crêpes de Bologne ou des damas de Gênes. Sous la Régence les étoffes des meubles et des tentures se font plus délicates : s'imposent alors des soieries à bouquets, des lampas, des damas, des brocatelles.

Durant le règne de Louis XV, les étoffes prennent des tons frais et souvent tendres, des reflets glacés; soieries, lampas et damas sont recherchés. La tapisserie dédaigne les sujets solennels du Louis XIV pour les scènes amoureuses, aimables, champêtres. On utilise également le satin, la peluche, le taffetas broché, la soie en grands ramages «à la Pompadour», les toiles imprimées en Orient.

Sous Louis XVI et l'Empire toutes les étoffes seront utilisées, la toile de Jouy s'imposera de plus en plus en raison de son caractère économique.

Le velours connaît un grand succès sous le règne de Louis-Philippe et sous le Second Empire. L'Art Nouveau et l'Art Déco reviennent pour les modèles de luxe aux riches soieries. Apparaissent également des garnitures en matériaux synthétiques.

Le cuir

Dans les garnitures, il faut mentionner le cuir employé dès la Haute époque et jusqu'à nos jours, notamment pour les fauteuils de bureau ou les sièges de toilette. On évitait ainsi que l'encre, la poudre, les parfums ou les crèmes ne gâtent les tissus, plus fragiles. Le plateau des bureaux et des tables à écrire sont également gainés de cuir.

Le marbre

Le marbre, calcaire à grain fin, rarement monochrome, plus souvent polychrome, est employé dans l'ameublement sous forme d'incrustations à partir du règne d'Henri II. Si, à travers les siècles, le marbre est utilisé pour fabriquer des tables, des guéridons surtout, le phénomène est assez exceptionnel. Par contre, dès le règne de Louis XIV et jusqu'à la fin du XIXᵉ siècle il est d'usage courant pour protéger le plateau des tables, des consoles, des commodes, des secrétaires, des chiffonniers, etc.

Selon les styles ils arborent des moulures et des profils divers; de même leurs couleurs varient avec les styles selon la mode et le prix.

On distingue plusieurs variétés de marbres. Parmi les marbres brèches, composés de petits éclats de roches de différentes couleurs, on compte le brèche d'Alep au fond jaune parsemé de fragments gris, bruns, rougeâtres; le brèche violet, le brèche gris.

Dans les sainte-anne on distingue le sainte-anne belge gris, noir ou foncé, du saint-anne français plus clair mais plus foncé que les sainte-anne des Pyrénées. Mentionnons aussi le campan rouge (pourpre, violacé foncé) en usage à Versailles et, pour les meubles de haute qualité, le «campan mélange» à fond rose veiné de rouge et de vert, le fleur de pêcher (rose veiné), le «languedoc» (rouge jaspé). D'Italie nous viennent le portor, noir veiné de blanc et de gris, le bleu turquin (gris-bleu strié de blanc et de noir) et de Belgique le rance rouge taché de blanc et le rouge royal. On compte aussi les brocatelles: variété lie de vin c'est la brocatelle d'Espagne, jaune celle de Sienne, rougeâtre et jaspée celle d'Andalousie et gris-bleu celle de Moulins.

Sous la Régence puis sous Louis XV, les meubles évoqués précédemment reçoivent des brèches, des languedoc, des rances, des campan ou des portors assez épais, épousant le galbe des meubles et présentant des

profils moulurés en bec de corbin (moulure saillante selon une courbe rappelant celle du bec de certains oiseaux). Sous Louis XVI les marbres utilisés sont souvent les mêmes, encore que les teintes claires soient plus recherchées et les moulures moins variées: les angles sont à pans coupés ou arrondis.

Sous le Directoire et l'Empire, le vert et le noir sont à la mode et les bords présentent des angles vifs. Les couleurs pâles, le blanc reviennent à la mode sous la Restauration et le profil est à doucine, c'est-à-dire composé de deux quarts de cercle, l'un convexe et l'autre concave. Pendant le règne de Louis-Philippe jusqu'au Second Empire les bords sont incurvés en gorge ou en doucine. Sous le Second Empire, tous les types réapparaissent dans les meubles qui copient les styles précédents.

La présence d'un marbre sur un meuble est toujours un élément de plus-value, surtout si le marbre est ancien sinon d'époque. Dans ce cas sa partie postérieure est granuleuse et irrégulière ce qui n'est pas le cas des marbres plus récents qui présentent une coupe franche et lisse.

Précisons que tous les accessoires et garnitures – tissus, tapisseries, bronzes – lorsqu'ils sont d'époque et *en bon état* sont un facteur de plus-value. Généralement dans les catalogues de ventes publiques ou dans les descriptifs donnés par les antiquaires en guise de certificat de garantie, si les garnitures ou le marbre correspondent à l'époque du meuble qu'ils habillent ou recouvrent, elles précèdent l'époque. Exemple: Commode en bois de placage marqueté, ornementation de bronzes dorés, dessus de marbre. Époque Régence. Lorsqu'il y a doute ou si l'on sait que les garnitures sont postérieures, cela devrait – ce n'est pas toujours le cas – être précisé, ou indiqué après l'époque de la réalisation du meuble. Exemple: Commode en bois de placage marqueté. Époque Régence. Bronzes dorés postérieurs. Dessus de marbre rouge.

---

1. Analyse et compréhension des œuvres et objets d'art. Paris, Librairie Eugène Rey, 1924.
2. Quand nous indiquons la couleur il s'agit de la couleur naturelle, le poli, les vernis et teintures modifiant les pigments.

Marbres

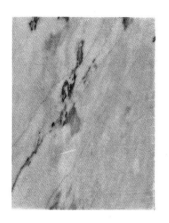
Bleu turquin

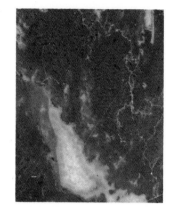
Rouge royal

Campan mélange

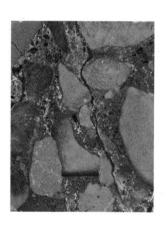
Brèche d'Alep

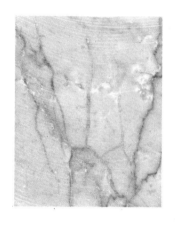
Jaune de Valence

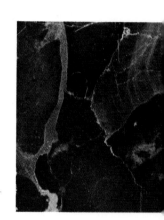
Portor

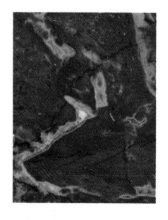
Sainte-Anne des Pyrénées

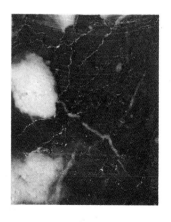
Languedoc

Jaune de Sienne

La construction du meuble

Les principes de construction du meuble ont peu varié entre le XIVe et le XIXe siècle. Seules l'évolution de l'outillage, l'apparition d'énergies nouvelles et la fabrication en petites séries ont modifié la fabrication du meuble, l'améliorant sur le plan du rendement et du prix de revient, mais pas toujours sur celui de la qualité.

Les assemblages

Jusqu'au XIVe siècle, la plupart des meubles fabriqués par les «charpentiers de la petite cognée» sont constitués d'épaisses planches débitées par les scieurs de long puis corroyées (rendues planes), assemblées à joints vifs (par simple juxtaposition) et maintenues par des pentures de fer.

Au milieu du XIVe siècle, grâce à la diffusion de l'assemblage à tenon et mortaise, le meuble perd ses lourdes pentures. Plus léger, il est formé d'un bâti sur lequel viennent se fixer les panneaux. Le bâti est le plus souvent en chêne mais aussi en tilleul ou en sapin et construit de telle sorte que les panneaux puissent jouer librement et que le bois ait la possibilité de travailler sans se fendre.

Les assemblages pour les bâtis sont, outre le système à tenon et mortaise, ceux à rainure, à rainure et languette, à faux-tenon et à queue d'aronde. Le pemier, souvent maintenu par des chevilles, est la technique la plus usitée en menuiserie et en ébénisterie. L'assemblage d'onglet, amélioration de l'assemblage à tenon et mortaise, apparaît au début du XVIe siècle.

C'est au XVIIIe siècle que naît, ou se développe – c'est un point de l'histoire de la technique mal éclairci – l'assemblage à queue d'aronde ou d'hironde ainsi nommé

en raison de sa forme, qui évoque la queue d'une hirondelle.

Ce procédé est utilisé notamment pour le montage des tiroirs ou celui de la traverse haute avant des meubles recouverts d'un plateau de marbre.

Le montage à tourillon (cheville cylindrique s'engageant dans les trous borgnes) a été employé à partir du XIXe siècle, surtout pour l'assemblage des sièges.

Le menuisier prépare les différentes parties de son meuble selon des calibres précis, résultats d'études, de tâtonnements et d'adaptations. Certains calibres sont renouvelés régulièrement, d'autres connaissent une utilisation intensive. Cela varie selon le degré d'invention des ateliers, le goût de la clientèle, ses exigences et celles de la mode. Le plus souvent – et même dans les ateliers les plus réputés – les parties non apparentes du meuble ne sont pas corroyées.

De l'usage de la colle et des vis

Si le vieux principe – quelquefois mis à mal – qui interdit l'usage de la colle est la règle en menuiserie, il disparaît chez les ébénistes qui pratiquent le placage et la marqueterie; le collage des panneaux est parfois assuré par une pointe noyée dans le bois.

Quoique le bâti d'un meuble d'ébénisterie diffère peu – ou pas – de celui d'un meuble de menuiserie, l'ébéniste évite les chevilles qui, si elles dépassaient, pourraient faire lever les placages. Pour juxtaposer deux panneaux les ébénistes utilisent la colle et emploient l'ajustage à plats-joints, recouverts ensuite par les placages ou la marqueterie. Dans les meubles anciens les vis sont utilisées pour fixer un accessoire métallique tels que serrures, anneaux, crochets ou pattes. Les ornementations de bronze, quant à elles, sont fixées par des pointes en laiton. Pour les garnitures et autres couvertures de siège on utilise des semences. Au XIXe siècle on assiste à l'abandon progressif des principes de la menuiserie et à la diffusion presque générale des techniques de l'ébénisterie, notamment du collage, même pour la construction des sièges. Si l'artisanat subsiste encore pour produire des pièces riches, ou uniques, le mobilier courant relève dès lors de l'industrialisation.

Assemblages

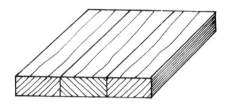

Assemblage à joints vif ou plat-joint

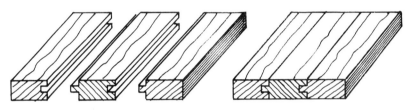

Assemblage à rainure et languette ou embrèvement

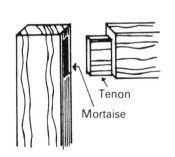

Tenon
Mortaise

Assemblage à tenon et mortaise

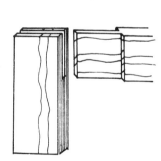

Enfourchement

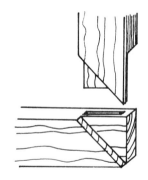

Flottage (assemblage d'onglet)

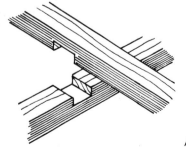

Assemblage à mis bois

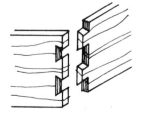

Assemblage à queue d'aronde
(ou d'hironde)

Assemblage à tourillons

26

Menuisiers et ébénistes

Avec la division du travail, la fabrication du meuble devient à partir du XIIIe siècle l'apanage d'une organisation corporative. Des charpentiers, auxquels est réservé le travail et la transformation du bois, se détachent les huchiers qui produisent des caisses et des coffres, puis les menuisiers.

La corporation

Cette organisation corporative, qui donne naissance à plusieurs branches de plus en plus spécialisées, bénéficie d'un privilège dont l'accès est sévèrement réglementé. Un long apprentissage – de six à neuf ans – le respect de techniques précises soigneusement décrites, l'emploi de matériaux bien définis, la réalisation d'un chef-d'œuvre, preuve des capacités techniques de l'aspirant... et le paiement de droits d'admission souvent importants, précèdent l'entrée dans la corporation. Encore faut-il souligner que les règles d'admission sont assouplies pour les fils d'artisans menuisiers et que les jurys sont plus sévères pour les compagnons que pour les fils de maîtres. Toutefois le privilège n'est pas exclusif. Il y a également des artisans sous privilège royal qui travaillent et même logent au Palais du Louvre, à l'Arsenal ou, plus tard, aux Gobelins.

Enfin des «colonies» d'ouvriers libres exercent dans le fameux faubourg Saint-Antoine, au Temple ou aux Quinze-Vingts. Ces ouvriers doivent toutefois se conformer aux normes édictées par la corporation dont ils subissent régulièrement le contrôle impitoyable. Ce qui explique l'action vigoureuse menée par «le faubourg Saint-Antoine» lors de la Révolution pour obtenir l'abolition des corporations.

A partir du XVIIe siècle la corporation se divise en deux branches : les menuisiers en bois et les menuisiers en ébène ou ébénistes. Les premiers fabriquent des meubles en bois massif dits aussi «en bois naturel» et quelquefois les bâtis des meubles en bois de placage. Aux seconds est réservée l'exécution des meubles en bois de placage ou en marqueterie. Cette distinction est abolie à la Révolution, conséquence directe de la suppression des corporations. Au XIXe siècle la réactivation des sociétés compagnonniques (sociétés ouvrières à ne pas confondre avec les corporations, sociétés d'artisans) a pour résultat de maintenir la qualité des techniques et le goût pour le bel ouvrage, malgré l'industrialisation croissante de la fabrication du meuble.

Les menuisiers et ébénistes ne sont pas les seules corporations à participer à l'histoire du meuble : vernisseurs, doreurs, sculpteurs, bronziers, tapissiers, serruriers et mécaniciens, gainiers et tabletiers sont autant de corporations annexes, jalouses de leurs privilèges, qui jouent un rôle particulièrement actif aux XVIIe et XVIIIe siècles. Si leur place est importante à Paris ou encore dans quelques grands centres provinciaux, précisons que la division du travail s'amenuise ou disparaît dans les petits ateliers polyvalents des villes de province ou des gros bourgs.

L'estampille

Concrétisation de l'appartenance à la corporation, l'obligation d'estampiller les ouvrages apparaît aux alentours de 1730, instituée – avec les dérogations d'usage – en 1743, légalisée en 1751 par un édit royal. Marque, signature de l'artisan, l'estampille, poinçon de métal gravé en relief, est frappée dans le bois des sièges et des meubles à des emplacements discrets : sous l'emplacement d'un marbre, sur le bord d'un tiroir, sur une traverse, sur le bâti, etc. Elle indique le nom de l'artisan, souvent accompagné des initiales de son ou ses prénoms pour le distinguer, car il existe de véritables dynasties de menuisiers-ébénistes qui exercent sur plusieurs dizaines d'années. Elle est souvent accompagnée des trois lettres JME, marque de contrôle de la jurande (bureau de plusieurs jurés nommés par la corporation) des menuisiers ébénistes, d'où les lettres JME, marque qui donne lieu au versement d'une taxe, à laquelle bien des menuisiers et ébénistes tentent d'échapper. Un meuble peut comporter plusieurs estampilles : celle du menuisier mais aussi celle du sculpteur, du marqueteur, du bronzier, etc. voire celle du marchand-mercier, intermédiaire qui passe commande à divers ateliers. L'usage de l'estampille survit à l'abolition des corporations et reste en vigueur au XIXe siècle. Il faut éviter de confondre la ou les estampilles avec les marques de châteaux, de collections, d'inventaires ou de garde-meubles.

De même que certains amateurs attachent plus d'importance à la signature d'un tableau qu'à ses qualités esthétiques, des collectionneurs de meubles préfèrent acquérir des meubles estampillés. Ainsi à qualité égale, un meuble marqué cote plus qu'une pièce anonyme. L'observation de ce phénomène a conduit quelques truqueurs à estampiller certaines pièces, à l'origine vierges de toute marque. Aussi convient-il de ne pas attacher trop d'importance à la présence d'une estampille sur un meuble qui ne présente pas un très long pédigree. Mieux vaut considérer ses qualités intrinsèques.

Les formes

Les structures du meuble – nous l'avons vu – évoluent peu au cours des siècles. Ce n'est le cas ni pour les formes ni pour le décor, deux composantes essentielles du style, qui donnent au meuble son aspect extérieur, sa personnalité. L'évolution des formes – il serait plus juste de parler de changements – obéit tout au long de l'histoire à un mouvement pendulaire oscillant entre la courbe et la ligne droite, le baroque et le classique, le naturalisme et la stylisation. Dans une interminable querelle des anciens et des modernes, chaque génération rejette les goûts et les réalisations de la précédente avant de se trouver elle-même contestée par celle qui lui succède. A chaque époque, le goût de la nouveauté se nourrit du rejet de ce qui a été fait auparavant et donne ainsi naissance aux «antiquités futures».

L'alternance des formes

Cette alternance ne se traduit pas toujours et partout par des transformations immédiates, radicales. Les habitudes ont la vie dure, les contraintes techniques et économiques freinent les innovations et les débordements que voudraient imposer les créateurs. Les changements ne s'opèrent pas instantanément, et pour reprendre une comparaison souvent employée – sans doute parce qu'elle correspond à une réalité – l'art comme la nature procède rarement par soubresauts. Certains artisans ou ébénistes restent fidèles au style ancien et aux traditions, obéissant en cela à leur propre inclination mais aussi et surtout aux goûts de la clientèle souvent conservatrice.

Chaque époque a ses «anciens» et ses «modernes» mais aussi ses modérés, ses indécis et ses opportunistes qui tentent pour des considérations bien différentes de difficiles synthèses entre des idées et des mouvements à priori antagonistes, réalisant selon leur talent des monstres ou des chefs-d'œuvre qui marquent les périodes de transition plus difficiles à fixer dans le temps.

On connaît les liens qui unissent l'architecture et la forme du mobilier, liens d'autant plus ténus que l'on remonte dans le temps. Au Moyen Age, tout particulièrement c'est l'architecture qui impose les lignes selon lesquelles travaille le huchier et cela tant pour les formes que pour la décoration. Le mobilier de la Renaissance diffère de celui du Moyen Age plus par le répertoire ornemental que par les structures. Encore faut-il préciser que l'arc ogival, marque du mysticisme médiéval pour certains, fait place au plein cintre; le développement ne se fait plus en hauteur mais en largeur; les lignes horizontales prennent le pas sur les verticales. Pour les formes, le temps est à la rigueur, à la netteté, inspirées de l'architecture antique.

La géométrie et l'apparat

Sous Louis XIII, la rudesse des lignes droites, l'adoption d'une géométrie sobre, la division par panneaux carrés ou rectangulaires, l'emploi de la colonnette dominent. L'art du tourneur, en pleine expansion, vient avec ses godrons et ses torsades, tempérer l'austérité des formes.

Le règne de Louis XIV dominé par l'apparat et l'apparence, la symétrie et la rigidité des contours voit néanmoins apparaître des courbes et des inflexions, surtout dans les supports et les piétements des sièges et des commodes; les angles ne sont pas toujours vifs mais quelquefois arrondis. Si les formes restent lourdes elles annoncent cependant celles du style Régence.

L'accentuation des courbes

Dans la courte période de la Régence, les formes cintrées entrent de plus en plus en usage : le mouvement des lignes s'arrondit en arc de cercle ou en console, les frontons se cintrent, le contour des meubles ondule, présente de savantes sinuosités, les pieds se galbent, les tabliers de certaines commodes prennent la forme d'accolades évoquant le profil de l'arbalète. Pourtant il serait abusif de parler de totale rupture avec les formes précédentes. Si les lignes deviennent sinueuses et le corps de certains meubles ventru et cintré, la forme rectangulaire continue d'être employée et le parallélépipède reste un volume de base. Enfin le règne de la symétrie n'est pas encore achevé.

Les formes Louis XV s'inscrivent dans la lignée des changements qui ont caractérisé les meubles Régence : les formes abandonnent le caractère pompeux qu'elles avaient hérité du règne du Roi Soleil, elles sont plus aimables, plus accueillantes : la volupté l'emporte sur l'apparat. Le style rocaille — vocable qui caractérise le style Louis XV — manie avec assurance la courbe et l'asymétrie. Tout s'arrondit invitant à la caresse : les profils ne sont que courbes et contrecourbes. Les contours chantournés, les formes violonnées, les surfaces bombées, les dossiers cintrés, les pieds courbés en volutes ou en escargot caractérisent un des moments les plus riches de l'art du mobilier français.

Devant cet excès de courbes et de rondeurs gracieuses, les réformateurs du moment vantent les lignes droites et les formes carrées. Dans un premier temps, ils transigent avec les goûts dominants du moment : dans le même meuble se trouvent réunies les droites et les courbes. Les pieds restent incurvés alors que les parties supérieures des meubles adoptent les formes nouvelles. Les sièges gardent les formes confortables du Louis XV en se dépouillant de leur asymétrie : le profil du dossier et des accotoirs est plus régulier, moins mouvementé. Cette période de transition est marquée par une multitude de tentatives, de solutions individuelles, une puissante volonté d'innovation et d'invention qui s'exprime avec des degrés de réussite inégaux.

Le triomphe du néo-classicisme

Les tenants de la ligne droite et du néo-classicisme finissent par triompher avec le style Louis XVI. Ce retour à l'antique, à la sobriété s'exprime par l'adoption d'angles vifs et de pieds droits aux cannelures verticales, aux colonnettes en toupie dont la section s'amincit vers le bas. Toutefois, sans doute dans le désir d'éviter une trop grande rigidité, le style Louis XVI utilise également les formes rondes, ovales ou en demi-lune, mais toujours géométriquement simples, tant pour la ceinture et le dossier des sièges que dans le profil ou la structure de certaines consoles ou commodes ou encore dans les moulures qui adoucissent la sécheresse de certains angles ou pans coupés.

L'ébénisterie de la période révolutionnaire n'est pas animée d'un souffle créateur et n'a pas marqué l'histoire du mobilier. Le changement n'apparaît pas dans les formes qui restent droites, mais dans l'ornementation et les attributs symboliques.

Pour le Directoire la préférence va aux formes carrées qui accentuent la rigidité des modèles, tempérée par le mouvement des dossiers «en gondole» ou celui des pieds postérieurs qui arborent le profil légèrement courbe des lames de sabre. Les accotoirs, pour leur part, sont ramenés à l'aplomb des pieds antérieurs.

L'Empire et sa majesté ostentatoire accentuent la rigueur des lignes droites et des tracés géométriques. Les panneaux restent plats, les moulurations ne sont utilisées qu'en guise d'encadrements. Le volume cylindrique ne sera utilisé que dans la dernière partie de l'Empire, entre 1810 et 1815.

La Restauration est marquée par deux mouvements contradictoires. D'une part les lignes droites se perpétuent, les profils triangulaires sont adoucis par quelques volutes, spirales ou arabesques, ces dernières opérant un retour en force, plus dans le décor que dans les formes. D'autre part, le succès du mouvement néo-gothique, ou style Troubadour, se traduit par une éclosion, un foisonnement de courbes tarabiscotées, encore que là aussi le mouvement soit plus sensible dans le décor que dans la forme proprement dite, assez stricte et rigide.

Sous le règne de Louis-Philippe, le roi bourgeois, les formes à la mode sous Louis XVIII et Charles X restent en vigueur. Encore sont-elles plus dépouillées. après la courte vie de la République de 1848, le Second Empire est, sur le plan des formes, marqué par le plus grand désordre puisque tous les styles, notamment Louis XV, Louis XVI, 1er Empire, voire Louis XIV sont copiés et pastichés.

De l'Art Nouveau à l'Art Déco

C'est sous la Troisième République et à l'exposition universelle de 1889 que naît une initiative nouvelle où le mobilier ne doit rien à un style précédent, où le meuble lui-même est courbe, élancement, méandres. Ce style «en coup de fouet», appelé Art Nouveau 1900 ou Modern Style, qualifié de «nouille», s'inspirant de manière naturaliste de la flore aquatique, est mouvement dans tous ses aspects, même les moindres. Poignées, ferrures, dossiers, piétements nervurés, accessoires se courbent, plient et ondulent à l'infini. De cette outrance naît en réaction, sous l'influence du cubisme et du Bauhaus[1], le mouvement Art Déco qui prône et adopte la stylisation contre le naturalisme, la ligne droite contre la courbe, le classique contre le baroque. Entre ces deux attitudes extrêmes, violemment opposées,

tenteront de s'exprimer des mouvements intermédiaires qui puisent avec plus ou moins de succès aux deux sources s'efforçant dans de louables mais difficiles tentatives d'allier l'eau et le feu.

Les réalisations postérieures, contemporaines de notre époque, ont beaucoup hérité sur le plan des formes du mouvement Art Déco, et développé les préoccupations fonctionnalistes déjà importantes.

Il ne faudrait pas conclure ce chapitre sans souligner la permanence, à toutes les époques, de la coexistence des formes droites et courbes, classiques et baroques, la mode et l'alternance donnant tour à tour la primauté aux unes ou aux autres. Pour preuve, retenons qu'aujourd'hui encore de nombreux acheteurs de mobilier neuf donnent leur préférence aux meubles de styles anciens plutôt qu'aux créations de leur époque.

---

1. Établissement d'enseignement de l'architecture et des arts appliqués créé à Weimar par Gropius en 1919 et transféré en 1925 à Dessau, le Bauhaus a été le creuset des premières tentatives d'esthétique industrielle en s'efforçant de réaliser l'union des arts mineurs autour d'une architecture fonctionnaliste et d'utiliser les techniques et les matériaux nouveaux pour tenir compte des impératifs de l'industrie.

Répertoire de formes

Annelet

Balustres

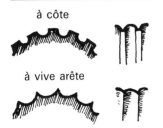

à côte

à vive arête

Cannelures

en gaine

ornée

rudentée

torse

——— Consoles ———

——— Frontons ———

à jour   à pans

brisé   circulaire

double   entrecoupé

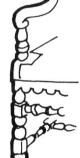

Piétement en bois tourné
(Louis XIII)

Pied en pied-de-biche   Pied carré   Pieds à entretoise
(Louis XIV)   en balustre   en X et accoudoirs
de fauteuil (Louis XIV)

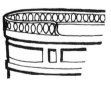

Galerie de cuivre
ciselé (Louis XVI)

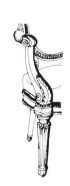

Console d'accotoir
et pied de fauteuil
(Louis XV)

Console d'accotoir
et pied cannelé
(Louis XVI)

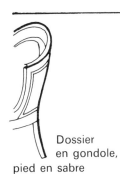

Dossier
en gondole,
pied en sabre

Pied en griffe
et tête de bélier

Piétement
en forme de lyre

Col de cygne

Louis-Philippe

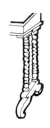

Dossier style
cathédrale

Fauteuil gondole

Piétement
fait de colonnettes
en bois tourné

Pied en
griffe de lion,
console
en palmette

Panneau
à dessin
géométrique
et figurine

Second Empire

Pied cambré
monté sur roulette

Triomphe
du capitonnage
et de la frange

Chapiteau dans le goût
de la Renaissance

Formes 1900

Formes 1925

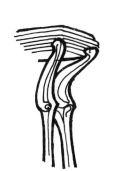

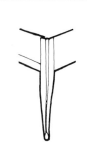

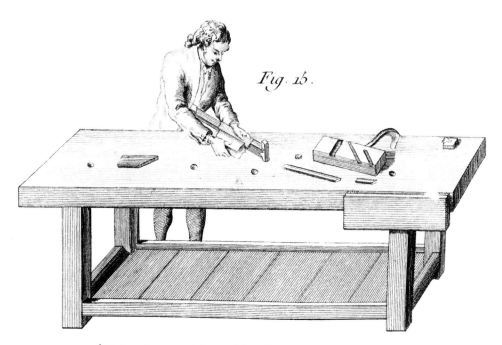

Fig. 15.

Ébéniste à son établi procédant à une opération d'effleurage.

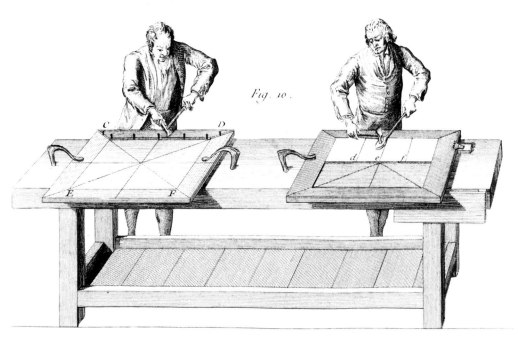

Fig. 10.

Opérations de collage et placage de marqueterie.
- à gauche, l'ouvrier-marqueteur plaque au marteau.
- à droite, un autre se sert du fer à chauffer.

Les procédés de décoration

La décoration prend, selon les époques ou les styles, une place plus ou moins importante. Elle diffère aussi à l'intérieur de chaque style selon la destination du meuble, qu'il soit d'usage ou d'apparat, exécuté pour la bourgeoisie ou la cour, pour quelque hobereau provincial ou pour les princes du royaume. Les procédés techniques varient peu, du moins pour toute la période qui nous intéresse, si l'on considère que la plupart et les plus sophistiqués, comme l'incrustation et la marqueterie, étaient pratiqués dès l'antiquité. Parmi les principaux on compte le tournage, l'adjonction de moulures, la peinture, l'application de laque ou de vernis et de matériaux plus ou moins précieux : fer, cuivre, bronze, argent, or, pierres dures, céramique, marbre, etc.

La sculpture

La sculpture est un des premiers procédés utilisés. Elle est réalisée soit en bas-relief (les figures ou motifs qu'elle dessine sont très peu saillants) soit en moyen-relief (la figure se détache plus nettement que dans le bas-relief) soit encore en haut-relief, procédé grâce auquel les figures se détachent presque totalement du fond. La sculpture fut employée plus ou moins systématiquement selon les époques, mais il faut souligner — encore que cela tombe sous le sens — que plus le meuble est sculpté, plus il est cher. Pour certaines armoires régionales dites de mariage, notamment en Normandie, le nombre des sculptures qui ornent une armoire devient un signe sinon de hiérarchie sociale du moins de l'état de la fortune de celui qui la commande. La sculpture est exécutée selon l'époque, l'origine géographique ou la destination du meuble, soit par des compagnons spécialisés dans ce genre d'ouvrage, soit par le menuisier lui-même,

soit encore par le propriétaire du meuble, qui dans le monde rural pouvait, à temps perdu, rehausser le mobilier familial de sculptures naïves, populaires mais aussi, suivant son habileté ou les exemples dont il s'inspirait, plus sophistiquées.

Le tournage

Procédé voisin, le tournage connait également un grand succès. Moins onéreux — il est en partie mécanique — mais à l'origine d'effets spectaculaires, il est surtout utilisé au XVIIe siècle pour élaborer, entre autres, les éléments de sièges, voire des colonnes ou colonnettes, destinées à l'intérieur des cabinets ou aux façades des meubles de rangement, aux piétements et aux pieds des tables.

Les moulures

Autre procédé de décoration, en creux ou en relief, les moulures, éléments en bois ou en métal rapportés sous forme de baguettes ou, le plus souvent, tracées, creusées dans les panneaux de bois grâce à des rabots spéciaux : les bouvets et les guillaumes. Ces moulures, disposées dans ou autour des encadrements des panneaux horizontaux ou verticaux, autour des sièges, affichent les principales caractéristiques des styles auxquels elles appartiennent. Elles diffèrent par leur nombre, leur volume, leur forme, le profil de leurs arêtes. Elles peuvent être agrémentées de sculptures, voire rehaussées de peinture. Leur emploi varie d'une extrême abondance, comme dans le mobilier du XVIIIe siècle, à plus de parcimonie et de discrétion, comme dans les productions Louis XVI. A certains moments, sous le Premier Empire notamment et au début du XIXe siècle, elles sont frappées d'une certaine désaffection : on les utilise peu ou pas du tout.

Teintures et vernis

Le bois employé pour la construction des parties visibles du meuble est rarement gardé à l'état brut. Même au Moyen Age il est recouvert de peaux, de cuir ou d'étoffe plaqués par les pentures de fer qui avaient également un rôle de consolidation. Lorsqu'il s'agit de pièces dites en bois naturel, le bois est imprégné de cire puis frotté au chiffon, opération qui lui donne un aspect brillant et l'embryon d'une patine. Celle-ci s'accentuera à chaque répétition de l'opération et se modifiera sous l'effet de l'air et des agents chimiques dont il est porteur, ainsi que de la lumière.

Teintures, peintures et vernis sont utilisés pratiquement dès l'origine de l'art du mobilier dans un souci d'esthétique d'une part, mais également dans un but prophylactique : il faut protéger le bois des insectes et de l'humidité. La peinture joue aussi le rôle de cache-misère : combien de savantes et parfois criantes polychromies recouvrent des bois médiocres ou de récupération. Elle sert de même de succédané, de produit de remplacement : à titre d'exemple citons le poirier noirci qui remplace l'ébène dont il imite l'aspect pour un prix inférieur.

La peinture

Cependant, la peinture est le plus souvent employée pour ses qualités propres : la variété des couleurs et des possibilités de composition. Si aux XVIe et XVIIe siècles on se borne à utiliser la peinture sous forme de tableautins ornant l'intérieur des cabinets, aux XVIIIe et XIXe siècles elle couvre les panneaux de certains meubles soit sous forme de compositions florales répétitives, soit sous forme de véritables paysages, de scènes animées ou de larges perspectives.

La laque

Forme supérieure de la peinture, la laque (voir encadré), dont les premiers exemplaires proviennent d'Extrême-Orient au XVIIIe siècle, suscite un vif engouement qui devient, succès de l'exotisme aidant, une véritable mode.

Voyant là un nouveau créneau commercial, les artisans français s'ingénient à trouver de nouveaux procédés imitant les panneaux de laque chinois et japonais importés, découpés et plaqués sur des bâtis montés en France. Des nombreuses recherches et tentatives on ne retiendra que le procédé mis au point par les frères Martin, connu sous le nom de vernis Martin (voir encadré). La composition nouvelle connaît une très grande vogue. Elle est utilisée d'abord pour décorer des chaises à porteurs et des carrosses, une façon judicieuse de s'assurer une publicité ambulante et efficace. Très vite, le vernis Martin est employé non seulement pour décorer le mobilier mais aussi un grand nombre d'ustensiles (boîtes et coffrets, etc.) utilisés dans la vie privée. Un arrêté pris en 1730 confirmé en 1744 donne à Simon-Étienne Martin, le cadet, et à son aîné Guillaume le privilège de fabriquer pendant vingt ans «toutes sortes d'ouvrages en relief de la Chine et du Japon». En 1748, les divers établissements des frères Martin sont déclarés manufacture nationale.

Ils tirent leurs sujets des chinoiseries évidemment mais aussi des œuvres plus ou moins librement interprétées des peintres à la mode, comme Watteau et Boucher : pastorales, scènes galantes, allégories mythologiques se détachant sur fond noir. Selon Alfred Champeaux[1] «Les auteurs du temps» étaient d'un avis partagé; ils ont «parlé des vernis Martin, les uns pour en faire la dernière expression du luxe, les autres les proscrivant comme signe de dégénérescence des mœurs». Le vernis Martin a été imité dès le XVIIIe siècle puis au XIXe par les procédés à base de carton pâte ou de papier mâché verni. On voit également apparaître un autre procédé au prix de revient encore inférieur, sorte de décalcomanie consistant à appliquer des gravures découpées sur un bâti de bois blanc.

Toutes ces techniques connaissent un grand succès dans la seconde partie du XVIIIe siècle, puis après une certaine désaffection au cours de la première moitié du XIXe siècle, retrouvent leur place avec des améliorations techniques, une certaine industrialisation des procédés, durant la seconde partie du XIXe siècle, sous le Second Empire qui imite ou pastiche les styles précédents.

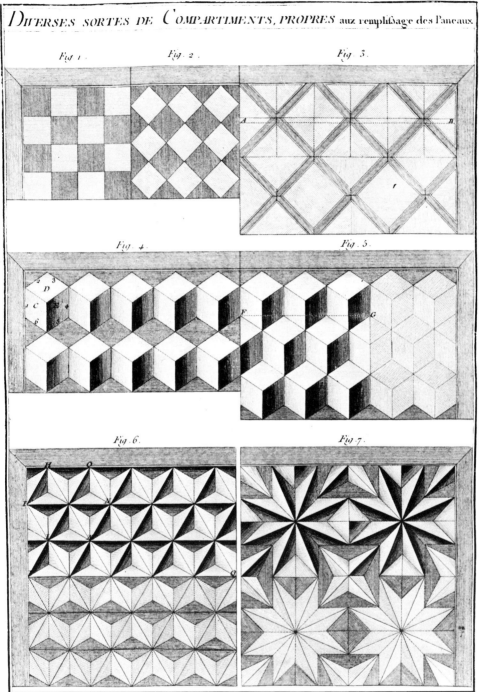

Fig. 1. Fig. 2. Fig. 3.

Fig. 4. Fig. 5.

Fig. 6. Fig. 7.

Quelques exemples de jeux de fond en mosaïque de marqueterie, disposés en compartiments de formes géométriques. Ils habillaient un bon nombre de meubles au XVIIIe siècle.

– Fig. 1 Le plus simple en «damier».
– Fig. 2 Motifs en carré sur l'angle.

– Fig. 3 Jeu de fond en carrés entourés avec un filet composé et une plate bande.
– Fig. 4/5 Mosaïques de cubes à plusieurs couleurs de placage.
– Fig. 6/7 Mosaïques d'étoiles disposées en pointe de diamant en placage de bois teinté.

L'incrustation

Deux autres techniques sont également fort pratiquées : l'incrustation et la marqueterie. L'incrustation consiste à insérer dans le bois ou un autre matériau, découpé préalablement selon des motifs plus ou moins complexes, des morceaux de bois d'essences différentes ou d'autres matières, taillés en relief pour épouser le motif dessiné en creux.

Il peut y avoir des incrustations de métal (étain, cuivre, argent), d'ivoire naturel ou teinté, de pierres dures, de marbre et, comme nous l'avons vu, de bois précieux, indigènes ou exotiques, dessinant des compositions la plupart du temps fort simples comme des figures géométriques et plus rarement des sujets plus élaborés.

Exploitée dès l'origine ou presque de la fabrication des meubles, l'incrustation est pratiquée tout au long des siècles, plus ou moins selon les caractéristiques de chaque style. Une constante cependant : considérée par beaucoup comme la marqueterie du pauvre, elle est pratiquée aux époques où l'on crée des meubles plus économiques que les meubles marquetés.

La marqueterie

La marqueterie est le procédé de décoration le plus élaboré, le plus sophistiqué. C'est celui qui demande le plus de virtuosité et qui est utilisé pour décorer les meubles les plus précieux. Mais d'abord quelques définitions de bases. Pour Pierre Ramond ébéniste marqueteur, auteur d'une thèse sur le sujet et d'un ouvrage qui fait autorité[2] la marqueterie s'obtient «par collage des éléments en placage de divers matériaux sur un bâti de bois». Pour H. Vial, A. Marcel et A. Girodée[3] «la marqueterie est la juxtaposition sur un bois quelconque, uni, de feuilles de bois plus recherchés, de métaux ou d'autres matières s'emboîtant les unes dans les autres masquant entièrement le fond et réalisant une composition décorative par la seule combinaison des diverses substances et de leurs couleurs...».

Roubo dans son fameux *Art du menuisier ébéniste* (1774) distingue trois sortes d'ébénisterie : «celle du placage consiste en des compartiments de bois refendus en feuilles très minces (2 à 5 mm), collées sur fond de bois uni ce qu'on appelle ordinairement menuiserie en placage ou marqueterie; la seconde espèce est celle qui représente des fleurs, des fruits et même des animaux et des figures humaines par le moyen de bois teintés ou des couleurs naturelles appliqués sur un fond de bois uni, ou incrustés dans d'autres bois précieux; cette seconde espèce d'ébénisterie se nomme mosaïque ou peinture en bois; la troisième espèce d'ébénisterie est celle où, avec le bois précieux, on emploie l'écaille, l'ivoire, les métaux, les pierres précieuses, etc.»

Actuellement les spécialistes distinguent deux grandes familles de techniques aux limites difficiles à définir : le frisage et la marqueterie.

Le frisage

On entend généralement par frisage l'assemblage de feuilles de placage raccordées géométriquement sur un bâti; marqueterie désigne un motif composé de placages de bois ou autres matériaux découpés à la scie de marqueteur suivant un tracé qui peut être ou rectiligne ou curviligne.

Un des intérêts du frisage est d'obtenir un motif géométrique (chevrons, cubes, etc.) en utilisant les veines du bois et en les raccordant de différentes manières. On peut obtenir des effets différents selon la façon dont le bois a été débité. Une bille de bois sciée en oblique permet de créer des placages appelés saucisson ou semelle formant, une fois raccordés, des rosaces en ailes de papillons, le dessin prenant des formes différentes selon l'angle de la coupe.

Les marqueteurs ont parfois recours à des modèles ou des cartons composés par des décorateurs, quelquefois des peintres, les pillant parfois ou s'inspirant de leurs œuvres. Revenons aux diverses techniques englobées sous le vocable de marqueterie.

La *tarsia géométrica* consiste à recouvrir entièrement les parties à décorer par des éléments de placage assemblés, au lieu de les insérer dans l'épaisseur du bâti.

Dans la *tarsia a incastro* le marqueteur superpose plusieurs feuilles de placage d'essences ou de matériaux différents, les découpant à la lame selon la forme affectée

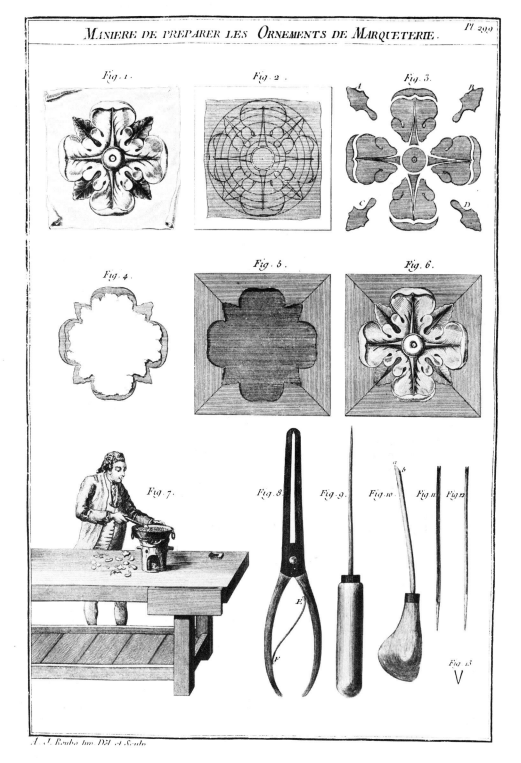

Fig. 1.

Fig. 2.

Fig. 3.

Fig. 4.

Fig. 5.

Fig. 6.

Fig. 7.

Fig. 8.

Fig. 9.

Fig. 10.

Fig 11

Fig 12

Fig 13

A. J. Roubo Inv. Del. et Sculp.

Les fig. 1.2.3.4.5.6 montrent les différentes étapes de l'exécution d'une marqueterie tel que le décrit Roubo : tracé, exécution d'un fond et apport dans cette entaille de toutes les pièces de placage.

– Fig. 7 : opération d'ombrage des pièces au sable chaud. La pièce est maintenue à l'aide de pinces (fig. 8) ou de pointe (fig. 9) aux emplacements à brunir.

par le dessin que l'on désire obtenir. Ces découpes sont ensuite incrustées en alternant les essences pour obtenir des effets décoratifs en «négatif et positif», une méthode utilisée notamment au XVIIe siècle par André-Charles Boulle. Citons aussi la *tarsia a toppo* qui procède du collage de baguettes de bois disposées en faisceaux.

L'histoire de la marqueterie

Les historiens du meuble ont retenu plusieurs hypothèses quant à l'origine de la marqueterie, tant pour la date de son invention que pour son lieu de naissance. Pour certains il semblerait que cet art soit né en Asie Mineure; pour d'autres c'est en Italie, au XIVe siècle, qu'il aurait vu le jour. L'Italien Benedetto da Maïano (1444-1496) passe pour l'un de ses pères putatifs. Bref, la marqueterie est régulièrement pratiquée en Italie dès le début du XVe siècle.

En France, elle apparaît à la fin de ce même XVe siècle et se développe durant la Renaissance. C'est ainsi que sous le règne de François 1er un groupe de marqueteurs italiens travaille en France. La marqueterie est souvent utilisée dans la deuxième moitié du XVIe siècle dans le décor des cabinets dont le goût est importé des Flandres.

Au XVIIe siècle la technique évolue, s'affine : le découpage des placages se fait à la scie, permettant ainsi de suivre avec plus de précision des tracés sinueux, d'obtenir des motifs à la fois plus complexes, plus petits, plus divers. A la fin de ce même siècle les compositions commencent à être exécutées à partir de bois exotiques, les fameux «bois des îles» importés depuis peu. La famille Boulle et plus particulièrement André-Charles (1642-1732 ?) développe la technique, utilise le bois, l'écaille, le métal – le cuivre et l'étain surtout – la nacre, pour composer des décors tirés de dessins de jean Berain, Audran ou Gillot. Mais le siècle d'or de la marqueterie que ce soit sous la forme du frisage ou de «la peinture en bois» est sans conteste le XVIIIe siècle qui voit se développer et triompher toutes les formes de décors, des simples formes géométriques aux véritables tableaux.

Sous la Révolution, l'Empire puis la Restauration l'emploi de la marqueterie marquera un net recul tant à cause du changement de goût que pour des raisons d'économie. Sous le règne de Napoléon III, on redécouvre la marqueterie en même temps que l'on copie ou que l'on pastiche les styles des siècles précédents : on fabrique beaucoup «dans le genre Boulle» mais aussi dans le style Louis XV ou Louis XVI. Si la richesse et la qualité des matériaux laisse quelquefois à désirer, il n'en est rien, au contraire, sur le plan de l'exécution qui bénéficie des progrès techniques : les meubles – de qualité – de la fin du XIXe siècle sont mieux «finis» que leurs ancêtres.

Si au XVIIIe siècle le placage de 1 à 5 mm d'épaisseur est obtenu exclusivement à la main, à la fin du XIXe siècle des outillages nouveaux ou perfectionnés – l'emploi de la scie sauteuse – permettent de débiter le placage mécaniquement, d'améliorer la précision des assemblages et d'abaisser le prix de revient. Il en résulte une plus grande diffusion du meuble marqueté.

Les ébénistes représentatifs de la période Art Nouveau utilisent beaucoup la marqueterie, notamment pour réaliser des décors floraux ou des compositions de paysages animés. Par contre leurs successeurs de la période Art Déco n'y ont eu que très peu recours. Quant aux ébénistes contemporains ils ne l'emploient pratiquement que pour réaliser des copies «de style ancien». Malgré une certaine fragilité, une sensibilité particulière aux changements de température, la marqueterie est, malgré les inévitables exceptions, l'apanage des meubles de luxe dont les prix atteignent des sommets.

Le verre églomisé

Parmi d'autres procédés de décoration il nous faut citer le verre églomisé qui revêt les panneaux de certains meubles de luxe. Inventé au XVIIIe siècle par l'encadreur Glomy, il permet d'appliquer, au dos d'une feuille de verre, une peinture laquée ou une couche d'or ou d'argent et d'y faire figurer des compositions plus ou moins élaborées. Cette technique, d'abord utilisée pour décorer les cadres de miroirs avant d'être appliquée aux panneaux de meubles, connaît le succès non seulement au XVIIIe siècle mais aussi au XIXe siècle. Elle sert à imiter les arabesques et les plaques de porcelaine

Tapisseries

Garniture de tapisserie de Beauvais d'un
fauteuil d'époque Régence

(Doc. Etude Ader-Picard-Tajan, Paris)

Garniture de tapisserie d'Aubusson à
décor des Fables de La Fontaine d'un
fauteuil Louis XV

(Doc. Etude Couturier-de Nicolay, Paris.

Garniture en tapisserie des Gobelins à
décor de sujets tirés des Fables de
La Fontaine dans des médaillons sur
fond jaune et contrefond bleu d'un
fauteuil Régence.

(Doc. Etude Ader-Picard-Tajan, Paris)

Marqueterie

Bois de placage marqueté à l'imitation du point de Hongrie d'un secrétaire Louis XVI par Boudin.

(Doc. Etude Ader-Picard-Tajan, Paris)

Marqueterie à décor de cubes et décoration en bronze ciselé d'une commode galbée. Epoque Louis XV.

(Doc. Etude Couturier - de Nicolay, Paris)

Bois de placage marqueté de cubes et de quadrillages dans des encadrements de filets de buis d'une commode d'époque. Transition Louis XV-Louis XVI par Carlin.

(Doc. Etude Ader-Picard-Tajan, Paris)

Bois de placage marqueté de quadrillages d'une commode Louis XV par Carel.
(Doc. Etude Ader-Picard-Tajan, Paris).

Bois de placage marqueté de cubes
d'une commode Transition Louis XV-Louis XVI.
(Doc. Etude Couturier-de Nicolay, Paris.

Bois de placage marqueté d'instruments de musique avec filets à grecques en amarante d'un petit secrétaire de dame Louis XVI.

(Doc. Etude Couturier-de Nicolay, Paris)

Placage de racine d'if avec des incrustations de nacre, étain, cornaline et écaille d'un secrétaire Empire par Lavasseur.

(Doc. Etude Couturier-de Nicolay, Paris)

Marqueterie d'attributs de la guerre et des arts et de guirlandes de feuilles de laurier d'un petit bureau à cylindre par David Roentgen. Epoque Louis XVI.

(Doc. Ader-Picard-Trajan, Paris)

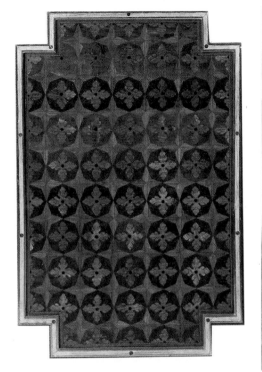

Bois de placage marqueté de quatrefeuilles, rosaces et dessins géométriques d'un meuble d'entre-deux Louis XVI par Dautriche.

(Doc. Etude Ader-Picard-Tajan, Paris)

Placage d'étain, ébène et bois de violette d'un bureau à caisson Louis XIII.

(Doc. Etude Ader-Picard-Tajan, Paris)

Bois plaqué de sycomore teinté vert et olivier à décor de guirlandes de fleurs et de feuillages d'une commode Louis XVI par Avril.

(Doc. Etude Ader-Picard-Tajan, Paris)

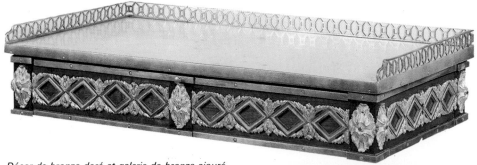

Décor de bronze doré et galerie de bronze ajouré d'une table à écrire estampillée de P. Garnier. Epoque Louis XVI

(Doc. Ader-Picard-Tajan, Paris)

Feuilles de cuivre doré repoussées de scènes de bacchanales d'après Le Primatice ornant un cabinet. France vers 1660.

(Doc. Ader-Picard-Tajan, Paris)

Cuivres, bronzes et céramiques

Commode de forme galbée en placage d'amarante marqueté en feuilles dans des encadrements. Importante décoration de bronzes ciselés dorés, tels que : espagnolettes dans les angles, masques de femme, encadrements avec écoinçons, poignées, culot et sabots à griffes. Dessus de marbre rance. Attribuée à André Charles Boulle (1642-1732).

(Doc. Etude Ader-Picard-Tajan, Paris).

Petit bureau orné de vingt-quatre plaques en pâte tendre de Sèvres à fond vert et or à décor de fleurs polychromes. Estampille de Joseph. Epoque Louis XV.

(Doc. Etude Ader-Picard-Tajan, Paris)

Desserte en acajou, ornée d'encadrements, moulures et azurés dans la base, en bronze ciselé et doré. Estampillée M. Carlin. Epoque Louis XVI.

(Doc. Ader-Picard-Tajan, Paris).

47

Laques

Panneau en laque de Chine à décor de branchages fleuris, d'oiseaux et de papillons sur fond noir avec des encadrements de rinceaux et de quadrillage sur fond rouge d'une armoire Régence.

(Doc. Etude Ader-Picard-Tajan, Paris)

Bois laqué à fond noir et or à décor dans le goût chinois d'un secrétaire Louis XVI par Hédouin.

(Doc. Etude Ader-Picard-Tajan, Paris)

reproduisant paysages, personnages, chinoiseries et autres turqueries.

La céramique

Le goût de la polychromie développé par les marchands merciers au XVIIIe siècle s'exprime durant la période dite de Transition située entre le style Louis XV et le style Louis XVI, à travers l'application sur les meubles de plaques de céramique – le plus souvent de la porcelaine – décorées de bouquets, de scènes galantes, de «bergeries» ou d'attributs (de l'amour, des travaux des champs, etc.).

La fameuse manufacture de Sèvres – mais elle ne fut pas la seule – en produisit un grand nombre. Bien entendu, on retrouve sur les meubles du XIXe siècle imitant ceux du XVIIIe ces plaques de porcelaine à décor polychrome.

Les marbres et bronzes dorés

Parmi les procédés de décoration il ne faut pas omettre les techniques qui procèdent du rajout, de la surdécoration, des éléments rapportés. Ces garnitures – plaques de marbre, bronzes, etc. – avaient à l'origine une fonction utilitaire, protégeant les arêtes des meubles et les entrées de serrures, équipant les tiroirs (boutons, poignées et mains tombantes) pour faciliter leur manipulation. Ils s'intégrèrent vite au décor et les bronzes dorés utilisés dès le XVIIe siècle deviennent au XVIIIe puis au XIXe un élément essentiel de la décoration. Certains bronzes relèvent de la sculpture et donnent aux meubles une valeur supérieure à celle de l'ébénisterie à proprement parler. De grands maîtres bronziers coopérèrent avec les ébénistes les plus fameux pour créer des modèles originaux, conformes pour leur inspiration et leurs thèmes aux styles auxquels ils correspondent.

Enfin les marbres recouvrant les plateaux de certaines tables, commodes ou secrétaires, s'harmonisent avec le décor ou la couleur du bois, chaque époque possédant, selon les sources d'approvisionnement et les modes du temps, ses marbres préférés dont les profils et les bordures épousent les formes en vigueur.

---

1. *Le Meuble*.
2. Pierre Ramond : *La marqueterie.* éd. H. Vial.
3. *Les artistes décorateurs du bois.*

Fig. 14.

L'ouvrier est placé à califourchon sur «l'étau ou âne de menuisier» et découpe les pièces à l'aide d'une scie de marqueteur (Bocfil). Ce système a été perfectionné au XIXe siècle et remplacé par le chevalet de marqueteur.

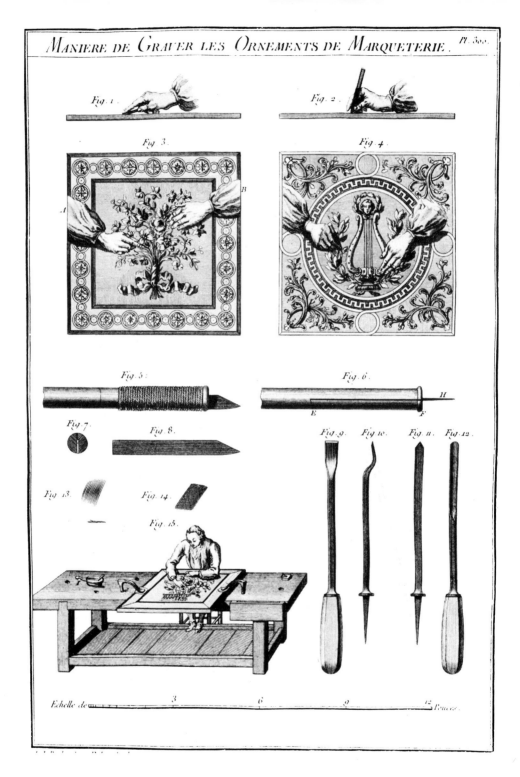

Pl. 308.

MANIÈRE DE GRAVER LES ORNEMENTS DE MARQUETERIE.

Manière de graver les ornements en marqueterie d'après Roubo

Fig. 5 à 12 : petit outillage de marqueteur : tranchet, ciseau, gouge, etc.

Fig. 10.11.12 : burins utilisés pour l'ébarbage.

Fig. 15 : assemblage des pièces de marqueterie à l'établi.

LAQUES ET VERNIS MARTIN

La laque (le mot est du féminin lorsqu'il désigne la matière et du masculin lorsqu'il désigne les objets) est une gomme résineuse qui subit plusieurs traitements qui la transforment en vernis. Peu sensible à la chaleur et à l'humidité, mais craignant la sécheresse, la laque a été utilisée dès le début de notre ère en Extrême-Orient.

A l'origine, elle servait d'enduit protecteur. Ses qualités l'ont ensuite fait employer à des fins esthétiques. On l'a utilisé d'abord pour décorer les objets usuels, profanes ou cultuels, puis, très vite, pour recouvrir et décorer les meubles.

La plupart des matériaux – du bois au verre, en passant par les métaux – peuvent être laqués. Le laquage exige des opérations et des manipulations nombreuses et minutieuses, réalisées dans des conditions particulières qui doivent être respectées. Le bois poli – ou tout autre support – reçoit un enduit à base de chanvre haché, puis il est recouvert d'une sorte de mousseline, gaze de soie ou papier fin sur lequel est étalé un mélange complexe où entrent de la gomme de fiel de bœuf, de la poudre à base d'émeri, de grès, d'ardoise ou de brique pilée. Après un nouveau polissage interviennent le laquage, la décoration et le laquage de finition.

Le laquage proprement dit est exécuté au pinceau; le nombre des couches appliquées successivement peut varier entre trois et vingt. Il existe trois principales formes de laques : les laques peints, les laques incrustés et les laques de Coromandel du nom de la ville des Indes où les produits chinois étaient exportés vers l'Europe. La technique de ces derniers rappelle celle des émaux cloisonnés : le sujet du décor est gravé en creux, ce creux rempli de gouaches colorées est ensuite recouvert d'une couche de laque protectrice.

La laque d'Extrême-Orient connaissant un grand succès, elle fut naturellement imitée par des artisans européens. A la fin du XIXe siècle on l'utilisa à nouveau pour réaliser certaines copies et pastiches de meubles du XVIIIe siècle. Mais l'art de la laque connut un véritable renouveau lors de la période Art Déco, au cours de laquelle le Japonais Sugawara transmit les techniques de son art à des décorateurs comme Jean Dunand ou Eileen Gray qui les appliquèrent à leur style.

Les laques furent imitées avec plus ou moins de succès, les meilleurs résultats étant obtenus au milieu du XVIIIe siècle par les frères Martin qui inventèrent un vernis «façon Chine», vernis auquel fut associé leur nom. Rappelons que les vernis sont des enduits transparents. Pour le vernis Martin comme pour les laques, le bois est isolé du vernis par une mousseline. Quant au vernis lui-même il est à base de copal, sorte de résine, et s'applique en couches superposées. S'il imite les laques, contrairement à elles, il résiste mal à l'eau, se craquelle et jaunit avec le temps.

Tableau de marqueterie d'après Roubo , montrant les pièces principales du placage qui sont découpées et calées sur le bâti.

Ornementation
et décor

Les meubles se distinguent par leur fonction, leur structure, leur forme mais aussi par leur ornementation. On entend par ornementation l'ensemble des éléments qui viennent s'ajouter à la structure et contribuent à l'agrémenter, voire à l'enrichir tant sur le plan de l'esthétique que sur celui de la valeur marchande. On a vu dans un chapitre précédent (Les techniques de la décoration) que l'on dénombre plusieurs procédés de décoration, les principaux étant la gravure, la sculpture, l'incrustation, la marqueterie et l'application d'éléments ou de matériaux rapportés comme les marbres, les pierres dures, les plaques de porcelaine, les bronzes dorés, les cuivres, etc.

Ce décor varie avec les styles mais aussi avec la destination sociale du meuble : les exemplaires commandés par les princes ou les riches bourgeois bénéficient à la fois d'une qualité de matériaux supérieure et, souvent mais pas toujours, d'une profusion de motifs décoratifs directement proportionnelle à l'opulence de son destinataire. Cependant, s'il y a inévitablement un écart entre le décor du meuble d'apparat et celui d'un usage quotidien, entre celui du meuble royal et celui du meuble bourgeois, il existe un registre commun de motifs décoratifs dans lequel puisent menuisiers, ébénistes, sculpteurs, ornemanistes, marqueteurs et bronziers, en un mot l'ensemble des artistes-artisans qui contribuent à la création et à la fabrication d'un meuble. Échappent à cette règle les meubles régionaux qui obéissent à des critères généraux et locaux que nous évoquerons au chapitre sur les styles.

Le Moyen Age et la Renaissance

Au Moyen Age, les panneaux de bois, lorsqu'ils sont sculptés, s'ornent de motifs directement inspirés de l'architecture comme l'ogive, les croisillons, l'arcature, les clochetons, mais aussi d'un ornement en forme de parchemin plié appelé aussi «pli de serviette», souvent inscrit dans une suite de panneaux à languettes. Soulignons également la présence de pentures, bandes de fer forgé destinées à consolider la structure du meuble, disposées de façon à être agréable à l'œil.

Durant la Renaissance, la sculpture en bas-, moyen- ou haut-relief constitue le procédé de décoration le plus employé non seulement pour orner les panneaux mais aussi pour donner forme aux pieds des sièges, tables et meubles de rangement ainsi qu'aux montants et extrémités des accotoirs. Les motifs sont empruntés au règne animal ou végétal, parfois à la mythologie : Bacchus, Mercure, Diane, Vénus, Neptune et Silène sont les principaux héros d'une chanson de geste racontée dans le bois. Ils y voisinent avec des cariatides, des termes (bustes posés sur des gaines), des faunes, des centaures, des méduses (têtes de femmes aux cheveux de serpents), des mascarons, des dauphins, des chimères. Du règne végétal, les sculpteurs retiennent des guirlandes et grappes de fruits et de fleurs ainsi que, moins réalistes et plus stylisés, les rinceaux et arabesques. Le style Renaissance est également riche en trophées, emblèmes (figures symboliques) et chiffres (initiales).

Les meubles les plus somptueux s'ornent de plaques de marbre, de pierres dures, d'émaux peints, d'ivoire gravé ou teinté. Les ébénistes utilisent, jonglent avec les lois de la perspective linéaire récemment découvertes. Ils appliquent, notamment dans la niche centrale des cabinets, de savants trompe-l'œil figurant des colonnades et de longues galeries ornées d'arcades. L'intérieur même de ces cabinets s'enrichit de multiples tableautins aux riches et vives couleurs.

Louis XIII

Au cours de la première moitié du XVIIe siècle qui correspond à peu près au règne de Louis XIII, l'art se fait le miroir d'une sorte d'austérité autant économique que morale, aussi bien en accord avec le style flamand et hollandais qu'en réaction contre la somptuosité de la Renaissance. Le meuble d'ébène rehaussé d'ivoire, apparu sous Henri II et Henri IV, est abondamment sculpté de motifs géométriques plutôt que de personnages. On retrouve souvent le motif en pointe de diamant (sorte de pyramide tronquée), la croix de Malte, celle de Saint André, des cubes, octogones, compartiments et moulures. L'art du tourneur s'exprime tant à travers des colonnes torsadées, godronnées ou «en olives», que dans les entretoises des sièges et les pieds en forme de boules rondes ou aplaties (miches).

L'ornementation, moins fantaisiste que sous le Renaissance, compte encore des feuilles d'acanthe, des guirlandes, des masques de chérubins, des mascarons et des méandres, rejetons chétifs des arabesques de la Renaissance. Sur les plus beaux spécimens de meubles, les décorateurs opposent à la sombre couleur de l'ébène l'ivoire incrusté au naturel ou teinté, ou encore des pierres dures de couleur, appliquées en cabochon. Vers la fin du règne de Louis XIII, lassés de l'austérité, les nobles et bourgeois commandent des meubles ornés de cuivres, de bronzes ciselés et dorés, d'argent et quelquefois d'or pour les plus riches.

Louis XIV

Symétrie et lourde opulence – on l'a déjà vu dans le chapitre sur les formes – sont les marques essentielles des meubles Louis XIV d'autant plus somptueux qu'ils sont réalisés pour la cour ou les grands du royaume qui donnent le ton. C'est le triomphe de la marqueterie de Boulle à base d'écaille,

d'étain, de cuivre et parfois d'argent. Elle allie le brillant du décor à la virtuosité technique et à la richesse du matériau. Cette technique de décoration reviendra à la mode sous le règne de Louis XVI, puis sous celui de Napoléon III.

Mais revenons au règne de Louis XIV. Les meubles sont souvent dorés et étincellent à l'image du soleil, attribut du roi Louis XIV et symbole de sa grandeur ostentatoire. Le répertoire décoratif trouve son inspiration dans l'antiquité mais aussi dans les turqueries. Les moulures sont larges et, pour les meubles les plus riches, sculptées de palmettes, d'acanthes ou d'oves. Trophées guerriers et mascarons radiés et imberbes figurant le soleil sont d'un emploi fréquent de même que la coquille large, plate, en relief, qui vient orner les frontons des armoires, les dossiers des sièges, les ceintures des consoles et des tables. La palmette en forme de feuille stylisée, à découpe symétrique, le soleil mais aussi la feuille d'acanthe, les volutes, rosaces et arabesques viennent avec les guirlandes et lambrequins couvrir façades et panneaux.

Parmi les figures animales et humaines on retrouve le bestiaire et la galerie de portraits en usage sous la Renaissance : griffes d'animaux pour les pieds, têtes de béliers, mufles de lion pour les extrémités des accotoirs. Les personnages mythologiques viennent se mêler aux tritons, sirènes, grotesques et renommées.

La Régence

D'abord héritiers fidèles du style Louis XIV, l'ornementation et les décors Régence s'en affranchissent progressivement. La coquille auparavant symétrique se déforme en tortillons aux caprices savamment étudiés. Les moulures se godronnent, ondulent. Des motifs de métal, figures de femmes (espagnolettes), dragons, groupes d'enfants ou des filets de cuivre doré habillent les arêtes et les bords de tiroirs, les coins de commodes et des tables. Les rinceaux se courbent en forme de haricot. Rosaces, coquillages stylisés, rochers, plantes, fruits et animaux composent l'essentiel du répertoire ornemental. Aux trophées guerriers se substituent des trophées d'instruments de musique, pastoraux ou encore d'autres sym-

Répertoire décoratif

Abeilles (Empire)

Acanthe

Agrafe

Aigle (Empire)

Arabesques

Attributs
sentimentaux
(Louis XVI)

Branches de palmier et de laurier
entrecroisées (Louis XIII)

Cariatide
d'inspiration
égyptienne
(Empire)

Cartouche ailé (Louis XV)

Cartouches

Cassolette

bolisant la pêche, la chasse, les saisons. La couleur éclate : dorure et argenture couvrent les plus beaux meubles parisiens. Le bois naturel ne s'utilise plus qu'en province ou pour des pièces d'usage courant. La marqueterie fait appel à des bois exotiques et présente des compositions géométriques – en losanges ou en damiers – mais aussi des bouquets de fleurs et les attributs évoqués plus haut.

Louis XV

Le règne de Louis XV voit se développer les tendances nées sous la Régence avec le triomphe du style rocaille, de la fantaisie, de l'exubérance, de l'élégance aussi. C'est le règne des coquilles échancrées, des feuillages déchiquetés, des volutes et contrevolutes sciemment déformées, des baguettes à fleurs enroulées. Excepté le godron, aucun élément n'est plus tiré du répertoire décoratif de l'antiquité. Si le bois sculpté et doré reste à la mode, on utilise de plus en plus les bois exotiques, les « bois des îles », sans négliger pour autant le bois naturel que l'on peint à l'occasion. Une des nouveautés du moment est le goût pour les meubles laqués d'Orient (Chine et Japon, entre autres) à décor de paysages et de scènes animées de personnages. Ce goût stimule les recherches qui aboutissent au procédé meilleur marché du vernis Martin. L'exotisme sous forme de chinoiseries, turqueries, et autre « singeries » ne s'impose pas seulement dans le mobilier luxueux mais également, un peu plus tard, dans le mobilier provincial à travers certains motifs, dont le fameux rocher fleuri. Cependant, le goût français laisse encore une grande place aux motifs pastoraux d'oiseaux, de colombes, de bouquets de fleurs, de guirlandes, de fruits et de fleurs.

Le style Transition

Entre le style Louis XV et le style Louis XVI – précisons qu'il s'agit bien de style et non de règne – s'étend une période de transition que les historiens des arts décoratifs et du mobilier situent de 1760 à 1775. En réaction contre les excès du rocaille, la symétrie revient à la mode, de même que l'utilisation d'éléments décoratifs

empruntés à l'antique. Les récentes découvertes archéologiques d'Herculanum et de Pompéi (1711 et 1748) stimulent cet engouement pour le néoclassicisme. Les postes, les grecques, les entrelacs, le tore de laurier, les rais-de-cœur, palmettes, cassolettes, urnes, perles et rubans sont les éléments décoratifs les plus employés. Les moulures redeviennent droites, les marqueteries dessinent des losanges, des cubes, des bouquets de fleurs encore mais sagement ordonnées dans des vases aux profils antiques et non plus jetés « au naturel » comme sous le règne de Louis XV. Dans les bronzes, les fleurs disparaissent au profit des rosaces, des cassolettes et des guirlandes de lauriers, les têtes de béliers et autres mufles de lion apparaissent à nouveau dans le bestiaire ornemental.

Louis XVI

Le style Louis XVI accentue ce mouvement, le systématise, tout en lui ajoutant un zeste de grâce et une touche de distinction qui le démarquent des styles Renaissance ou Louis XIV qui puisèrent pour une grande part aux mêmes sources.

La marqueterie de bois précieux est concurrencée par l'emploi de l'acajou massif ou en placage, verni, satiné, frisé ou flammé dont le goût vient d'Angleterre. L'ornementation est légère, symétrique, marquée par la mesure. Les moulures et les baguettes sont fines, peu saillantes, les frises ornées de cannelures. Les tablettes et les plateaux des tables et des secrétaires sont souvent habillés d'une bordure de cuivre ciselé et ajouré appelée « galerie ». Certains panneaux de meubles sont rehaussés de plaques de nacre, de verre peint, de céramiques, biscuit, faïence ou porcelaine. Les cannelures tiennent une large place dans l'ornementation, notamment celle des montants des meubles de rangement ou celle des pieds des sièges.

Outre le recours aux motifs antiques déjà utilisés pendant la période de Transition, la décoration utilise des motifs floraux ou champêtres. Si les écrits de Jean-Jacques Rousseau font germer dans l'esprit des futurs révolutionnaires le désir de transformer la société, ils commencent plus pacifiquement à inspirer ornemanistes et sculpteurs, sensibles aux idées préromantiques

Chute de fruits
(Louis XIII)

Colonne cannelée
(Louis XVI)

Coquille et entrelacs
(Louis XIV)

Coquille à cinq branches
(Régence)

Corbeille de fruits
(Louis XIV)

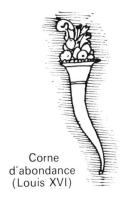

Corne
d'abondance
(Louis XVI)

Couronne de roses
(Louis XVI)

Feuilles d'eau

Enroulements

Entrelacs de lauriers tressés (Louis XVI)

Faune (Directoire)

57

que renferment ses œuvres. Parmi les éléments décoratifs les plus marqués, citons les rubans, les nœuds de rubans, les guirlandes de laurier, les pommes de pin, la rosace carrée à motif d'acanthe, les gerbes de blé, les fleurs des champs, les fruits à grappes et une série d'attributs champêtres chers à Marie-Antoinette et aux bergeries aseptisées de Trianon : rateaux, houlettes, faucilles, cages, oiseaux, moutons, etc. Les attributs, symboles de l'amour foisonnent également : flambeaux d'hyménée, colombes, arcs, flèches et carquois. Mufles et têtes d'animaux s'ils sont également présents sont moins menaçants, plus stylisés que sous la Renaissance ou le règne de Louis XIV. Il en est de même des cariatides et des sphinx.

Le Directoire

La Révolution a peu créé et beaucoup brûlé – c'est le moins qu'on puisse dire – dans le domaine qui nous intéresse. Toutefois, il existe des caractéristiques du style révolutionnaire notamment dans le domaine du décor substitué au précédent, le plus souvent plaqué sur les meubles Louis XVI : faisceaux consulaires, piques, compas, balances, cocardes, tables de la déclaration des droits de l'homme, couronnes de chêne et de laurier, bref une imagerie naïve tirée d'une République romaine idéalisée. Pendant le Directoire, la marqueterie qui demande une main-d'œuvre spécialisée d'un coût élevé, a presque totalement disparu. Le bois est souvent peint en blanc, gris ou bleu et les motifs décoratifs les plus usités sont les urnes, les vases antiques, la marguerite, la palmette, les étoiles, les losanges. Cet appauvrissement du répertoire décoratif prend fin avec l'Empire.

L'Empire

Comme sous le règne de Louis XIV, le mobilier, du moins celui de la cour et des grands du régime, celui que l'on copie et que l'on imite, est un moyen de montrer l'autorité et la puissance du souverain, soucieux d'établir une nouvelle légitimité. Les bronzes dorés, les cuivres, les figures allégoriques s'épanouissent sans retenue sur des meubles qui s'inspirent tant pour leur structure que pour leur décoration de l'antiquité grecque, romaine et égyptienne. Cette dernière source est une retombée culturelle de l'expédition militaire et scientifique menée par Bonaparte à l'ombre des pyramides. Parmi les éléments décoratifs, subsistent quelques-uns de ceux qui étaient utilisés pendant la Révolution : Napoléon, tout en appelant les princes d'Europe «Mon Cousin», se dit le fils de la Révolution. S'y ajoutent des éléments proprement napoléoniens comme les abeilles, le foudre, l'aigle ou le «N» impérial couronné. On en dénombre de plus classiques : palmettes, palmes, feuilles de fougères et feuilles d'acanthe, rinceaux, couronnes, guirlandes de fleurs et de fruits, oves, rais-de-cœur, méandres, trèfles, thyrses, casques, caducées. Parmi les figures fantastiques, on rencontre les sphinx, griffons, centaures, chimères, faunes... Parmi les personnages, les allégories de la victoire le disputent aux renommées, les muses aux grâces et aux cariatides. Il y a aussi les inévitables trophées guerriers et autres cornes d'abondance.

La Restauration

Sous la Restauration, économies obligent, la décoration est réduite : la marqueterie se limite à des incrustations et à de simples filets de bois ou de métal jouant sur le contraste des couleurs. La palmette et les rinceaux sont omniprésents. Les accotoirs des sièges prennent volontiers la forme de dauphins ou de cols de cygne. Les bronzes et les cuivres représentent des cariatides, des chimères, des cornes d'abondance ou des lyres.

Louis-Philippe

La monarchie de Juillet est marquée par trois tendances, les deux premières se situant chacune aux deux pôles du mouvement pendulaire habituel à l'évolution des arts décoratifs. La première extrêmement simple avec une sobriété qui ressemble à de la pauvreté, tant par la technique industrielle utilisée pour la fabrication que par le choix des matériaux ou encore la décoration. La seconde, au contraire, couronnement du négoce et de fortunes rapidement faites dans la spéculation, se caractérise par une imitation des grands styles du passé,

Flots grecs

Godron

Guirlande de draperie (Louis XIII)

Initiale
de Napoléon Ier
(Empire)

Guirlandes

Initiales de Louis XIV

Mascaron

Masque

Moulure

Médaillon rond,
décor inspiré de l'antique
(Directoire)

Médaillon orné d'un bouquet
de fleurs romantique

Renaissance et Louis XIV notamment. C'est le retour en force de la marqueterie Boulle et du foisonnement des sculptures. A signaler l'émergence d'un style original né du goût néo-gothique appelé aussi «cathédrale» ou «Troubadour», dont les motifs décoratifs sont directement empruntés à un Moyen Age un peu édulcoré, souvent de fantaisie où ogives et clochetons s'allient à des motifs Renaissance eux aussi transformés.

Napoléon III

Durant le Second Empire, les tendances nées sous le règne de Louis-Philippe s'accentuent, s'amplifient, prennent du volume et du ventre à l'image des fortunes nouvelles qui s'établissent dans l'immobilier ou émergent de la première révolution industrielle. Outre les pastiches des styles Louis XIV, Louis XV et Louis XVI, empruntant l'ornementation et les motifs décoratifs employés au cours des XVIIe et XVIIIe siècles, il faut retenir quelques décors spécifiquement Napoléon III : les larges bouquets de fleurs polychromes peints sur des fonds noirs, eux-mêmes peints, laqués ou vernis, imitant l'ébène. Une composition à base de carton bouilli est également utilisée ainsi que le pitchpin ou les meubles en fonte de fer, ces derniers étant la plupart du temps réservés au jardin.

L'Art Nouveau

Sous la troisième République, le décor du mobilier reste identique à celui du Second Empire. C'est au cours de l'exposition de 1889 qu'apparaissent les premières manifestations de ce qu'on appellera l'Art Nouveau, ou Modern Style ou encore Art 1900. La forme et le décor ne font qu'un. Dessinateurs, ornemanistes, sculpteurs et ébénistes s'inspirent d'une façon fort naturaliste de la flore (épis de blé, chardons, fleurs de pavot), de la flore lacustre (ombelles, nénuphars, lianes, etc.), de la faune également (libellules, grenouilles, hirondelles, hérons, etc.). La femme-fleur, la femme-sirène, les masques et mascarons figurent également en bonne place dans le répertoire décoratif. La marqueterie à décor de champs de blé, et de coquelicots connaît un regain d'intérêt et vient orner les panneaux et plateaux des meubles, certains rehaussés d'inscriptions symboliques, de vers, de formules et de proverbes édifiants ou inquiétants.

L'Art Déco

Réaction immédiate après le premier conflit mondial : le décor rare, épuré et stylisé caractéristique du mouvement Art Déco se substitue au baroque de l'Art Nouveau. Parmi les motifs simples les plus utilisés on retrouve des ornements «cubistes», de grands disques complets ou tronqués, le natté et la fameuse rose stylisée ainsi que des corbeilles de fleurs et de fruits elles aussi stylisées. On rencontre peu de marqueterie, par contre l'art de la laque et de la ferronnerie sont utilisés avec un grand bonheur par des artistes comme Jean Dunand ou Edgar Brandt, entre autres, qui répondent aux désirs des ensembliers.

Les théories fonctionnalistes qui accompagnent le mouvement Art Déco puis lui succèdent, écartent par leur essence même tout décor et ornementation. Tout ce qui est inutile est condamné, banni, effacé, en attendant qu'une réaction née de l'excès de ces théories amène de nouveaux décors, chaque mouvement exerçant sa force sur le pendule qui continue à travers le temps son balancement, changeant les goûts et les modes.

Palmes

Nymphe
(Empire)

Le nœud (Louis XVI)

Postes

Palmettes

Ove

Perle

Quadrillage à fleurettes
(Régence)

Rais-de-cœur

Raies d'oves (Louis XVI)

Rocaille asymétrique
(Louis XV)

Rinceaux

Rosace sur fond quadrillé, feuille
d'acanthe (Régence)

Roses 1925

61

Soleil (Louis XIV)

Sphinx égyptien (Empire)

Sphinx grec (Directoire)

Tête de femme
(Régence)

Tête de Bacchus (Louis XIV)

Torsades

Tête de femme
encadrée de rocailles
(Louis XV)

Victoire (Empire)

Vase
en forme d'urne
(Directoire)

Victoire
(Directoire)

Trophées d'inspiration romaine
(Louis XIV)

Volutes

Du style et des styles

L'art du meuble appartient au domaine des arts décoratifs, enfants naturels des arts majeurs et de l'artisanat. Rappelons que l'on entend par arts majeurs, dans le domaine qui nous intéresse, l'architecture, la peinture et la sculpture.

La forme des meubles naît – dans bien des cas et pour leurs lignes générales – de l'imagination des architectes, le décor de celle des peintres et des dessinateurs.

Ces idées sont filtrées par les ornemanistes, les décorateurs et les ensembliers, puis concrétisées par les menuisiers et les ébénistes. Ceux-ci apportent leurs techniques, leur savoir-faire, leur propre génie créateur en adaptant, en pastichant, en exacerbant les principes initiaux. C'est pourquoi chaque style possède ses inspirateurs et ses praticiens.

La définition du style

Encore faut-il définir ce que recouvre le terme de style. Pour «Le dictionnaire illustré des antiquités et de la brocante»[1] : «le style des meubles et des objets est l'ensemble des caractéristiques d'une époque déterminée; il s'exprime par la nature des matériaux, la forme des structures et le détail des éléments décoratifs...» L'antiquaire et grand amateur d'art qu'était Nicolas Landau aimait à rappeler que seul le meuble ou l'objet véritablement «moderne», c'est-à-dire affichant tous les caractères de son époque, a quelque chance de devenir un jour un meuble ou un objet ancien.

Reflet d'une époque, des modes successives, le style a une durée de vie variable qui dépend des conditions politiques et économiques. Mais un style n'apparaît pas brusquement, de même qu'il n'est pas frappé de mort subite. Il naît souvent des abus et des systématisations de celui qui le précède avant de se détruire lui-même en se répétant, frappé par une maladie de langueur qui l'entraîne dans une longue agonie.

Pour des raisons pratiques, les historiens ont divisé l'histoire du mobilier en périodes bien déterminées qui correspondent aux grands mouvements, aux grands styles. Encore faut-il bien rappeler que, par exemple, (voir tableaux chronologiques ci-joints) le style Louis XIII naît sous Henri IV et que les premières réalisations Arts Déco apparaissent alors que l'Art Nouveau n'a pas atteint son apogée.

Le «gothique» et la Renaissance

Précisons que l'adjectif gothique correspond pour le mobilier à la période qui s'étend du XIIe au XVe siècle. Que ce soit dans leur structure ou dans leur décor, les meubles de cette époque évoquent les cathédrales avec leurs arcs brisés, l'arc-boutant et la voûte sur croisée d'ogive.

Entre le XVe et le XVIIe siècle, la Renaissance se caractérise par le retour à l'antique; le mouvement français, fils de celui qui naquit en Italie, emprunte beaucoup à son géniteur mais doit aussi à de nombreux artistes français. Parmi ceux-ci, il faut retenir Jacques Androuet du Cerceau (1510-1585) architecte et dessinateur qui publie plusieurs recueils de dessins comme *Les plus excellents bâtiments de France* ou le *Livre des grotesques* dont s'inspireront sculpteurs, graveurs, menuisiers et orfèvres. A retenir également Jean Goujon (1515-1567) et Germain Pilon (1537-1590) dont les sculptures servent de modèles aux décorateurs de meubles, ou encore l'architecte Pierre Lescot (1515-1578). Citons aussi Hughes Sambin (1515-1562) sculpteur et architecte, créateur de meuble de grandes dimensions, abondamment sculptés, le plus fameux artiste des écoles bourguignonne et lyonnaise.

Louis XIII, l'Italie, l'Espagne et les Pays-Bas

Sous Louis XIII, les grands architectes s'appellent Lemercier (1585-1654) et François Mansart (1598-1666) ; l'art du meuble subit toujours des influences étrangères : celle de l'Italie encore, par l'intermédiaire des artistes et des goûts introduits en France par Marie de Médicis, mais aussi celles de la Hollande et de l'Espagne. Les grands ornemanistes de l'époque ont pour nom Gobert et Anguier ; Simon Vouet et Poussin sont les peintres à la mode qui inspirent les décorateurs, ceux qui peignent les intérieurs des précieux cabinets dont la mode est importée d'Italie.

Charles Le Brun au service de Louis XIV

Le style Louis XIV est dominé par la personnalité de Charles Le Brun (1619-1690), directeur de la manufacture royale des Gobelins et de l'Académie de peinture et de sculpture. C'est lui qui coordonne l'activité des décorateurs et architectes de son temps. Parmi les décorateurs, peintres, dessinateurs et ornemanistes, il faut citer la famille Berain et plus particulièrement Jean I (1638-1711) qui remet en valeur les grotesques, Claude III Audran (1658-1734) auquel on doit, pour cette époque, l'usage intensif des arabesques ou encore Jean Lepautre (1618-1682) qui, avant d'être graveur, avait été menuisier.

Du côté des artisans menuisiers et ébénistes à noter la domination de la famille Boulle et plus particulièrement d'André Charles (1642-1732). Il fut l'utilisateur prestigieux du fameux procédé de marqueterie de cuivre et d'écaille au décor de grotesques et d'arabesques et l'un des premiers à employer les bronzes ciselés et dorés dans le mobilier.

Charles Cressent, ébéniste du Régent

Parmi les architectes qui contribuent à la formation du style Régence figurent Robert de Cotte et Germain Boffrand. Au chapitre des ébénistes on compte Hecquet, François Guillemart et surtout Charles Cressent (1685-1763), ébéniste du Régent et de la famllle d'Orléans. C'est à lui que la commode doit un nouveau profil dit «en arbalète» plus élégant, plus léger que les lourds modèles dits «tombeau». Parmi les ornemanistes il faut retenir le nom de Gilles Marie Oppenordt (1672-1742) ébéniste d'origine hollandaise, surintendant des bâtiments du Régent qui travaille notamment à la décoration du Palais Royal.

Le style Louis XV ou Pompadour

Gilles-Marie Oppenordt est également considéré – au même titre que Meissonier (1695-1750), Verberckt (1704-1771) ou encore Nicolas Pineau (1684-1754) inventeur du rocaille français – comme l'un des pères du style Louis XV ou Pompadour. C'est sous le règne de Louis XV que l'art du mobilier français atteint son apogée et les familles d'ébénistes en activité à ce moment de l'histoire comptent parmi les plus célèbres. Parmi les menuisiers citons Foliot, Tilliard, Gourdin, Avisse, Delanois. Si, chez les ébénistes, le règne de Cressent ne finit pas avec le règne de Louis XV, il est très vite concurrencé par Criaerdt, Migeon, Jean-François Oeben, Roger Van der Cruse dit Lacroix, Van Risenburgh (B.V.R.B.) etc.

Le style Marie-Antoinette et Georges Jacob

Le style Louis XVI, qu'il serait plus juste d'appeler Marie-Antoinette, est dominé par le néo-classicisme du peintre Louis David qui, dans le domaine des arts décoratifs, traversera les régimes et donnera encore le ton sous l'Empire. Chez les ébénistes à retenir les noms de Jean-Henri Riesener (1734-1806), Jean-François Leleu, Guillaume Benneman, David Roentgen, Claude-Charles Saunier, Canabas, Molitor, Weisweiler, Topino, Stöckel, Martin Carlin ou le fameux Georges I Jacob qui travaille pour Marie-Antoinette : en 1784, il est le fournisseur des Menus-plaisirs. Le même Georges I Jacob fabrique le mobilier de la Convention sur des dessins de Percier et de Fontaine.

L'Empire, c'est Percier et Fontaine

Charles Percier (1764-1838) et son associé Pierre François Léonard Fontaine (1762-1853) sont considérés comme les principaux inspirateurs du style Empire. Travaillant à l'aménagement de la Malmaison, du Louvre, de Fontainebleau, de Rambouillet et de Compiègne, ils imposent un style inspiré de l'antique, style qui sera illustré, une fois encore par la famille Jacob, encore elle, en la personne de François Honoré dit Jacob Desmalter (1770-1841), fils de Georges I et associé de son frère Georges II. Parmi les autres ébénistes de la période Empire citons aussi Bellangé et Lemarchand.

Le style « à la cathédrale »

On retrouvera Lemarchand, Bellangé mais aussi la famille Jacob en la personne de Georges-Alphonse Desmalter parmi les fournisseurs de la Restauration et de l'influente duchesse de Berry qui mettra à la mode, sous l'influence du romantisme, le mobilier néo-gothique, dit « à la cathédrale ». Ce mouvement sera repris et amplifié sous le Second Empire par les travaux de Prosper Mérimée et Viollet-le-Duc.

Sous le règne de Louis-Philippe un phénomène, né à la mort des corporations, s'accentue : le mot ébéniste devient de moins en moins précis et s'étend à tout ce qui concerne le commerce du meuble. Parmi les plus grands fournisseurs de cette époque retenons Jeanselme, Cremer, Bellangé encore, Baudry ou Grohé.

Copies et pastiches

Sous le Second Empire le style est marqué par l'influence de l'Impératrice Eugénie grande admiratrice de Marie-Antoinette et du XVIIIe siècle. C'est aussi, nous l'avons vu, à travers l'influence du néo-gothique, le culte du Moyen Age, de ses clochetons, de ses animaux fantastiques. On assiste avec l'usage du capiton, des tentures et de la tapisserie, au triomphe des tapissiers.

Parmi les principaux fabricants de meubles qui exécutent des copies ou des pastiches des siècles précédents, mais aussi des créations typiquement Napoléon III – les meubles peints ou laqués noir à décor de fleurs polychromes et incrustations – on compte Jeanselme fils, Grohé, Beurdeley, Diehl, Sormani, Dasson, Krieger, Klein et le tapissier Deville.

Les productions dans le goût du XVIIIe siècle sont toujours à la mode à la fin du XIXe siècle, notamment à travers les œuvres d'écrivains et d'amateurs d'art comme Edmond de Goncourt. Mais c'est aussi à ce moment qu'apparaissent les premières manifestations du style Art Nouveau aux lignes courbes et aux décors naturalistes, qualifié de « nouille » par dérision.

L'École de Nancy

L'école de Nancy avec Gallé et Majorelle, l'architecte Guimard, l'ensemblier Charles Plumet, le dessinateur Eugène Grasset, mais aussi Gaillard, de Feure, Vallin et le sculpteur Carabin sont à l'origine d'ensembles cohérents et complets qui marquent une époque, qui sera de courte durée en raison du déclenchement du premier conflit mondial.

Les arts décoratifs et industriels

Si le mouvement Art Déco réagit contre les abus du style 1900, il a ses propres sources aussi diverses que nombreuses : le fauvisme, le cubisme, les théories d'architectes comme Auguste Perret, auteur du théâtre des Champs-Élysées, ou le Belge Van de Velde. A la pointe de la mode, par leur état, les grands couturiers comme Paul Poiret, Jeanne Lanvin, Jacques Doucet imaginent de nouvelles lignes. Les grands créateurs de meubles ont pour nom Jacques Émile Ruhlmann – surnommé le Riesener du 1925 – Paul Iribe, dessinateur et journaliste, créateur du fameux motif de la rose, symbole de cette période, Pierre Legrain, Armand Rateau, Clément Rousseau, Marcel Coard, Rose Adler, Eileen Gray. Parmi leurs collaborateurs il faut citer le verrier Lalique, le laqueur Jean Dunand, le créateur de tapis Da Silva Bruhns ou encore le ferronnier Edgar Brandt. Point d'orgue de ce mouvement l'Exposition internationale des Arts décoratifs et industriels se déroule d'avril à octobre 1925 sur l'esplanade des Invalides et le long des quais de la Seine. Grâce à cette manifestation populaire et à l'action des grands magasins, qui vulgarisent et diffusent en grandes séries des meubles et des objets inspirés par les grands créateurs, le style Art Déco s'impose rapidement et largement.

Avec le mouvement «fonctionnaliste» animé, entre autres, par l'architecte Le Corbusier, Charlotte Perriand, René Herbst... s'accentue le rejet du décor, de l'inutile. Une tendance qui se maintient après la seconde Guerre mondiale, dans les années 50 et avec les créations des designers italiens ou scandinaves.

Meubles et styles régionaux

Il serait vain de vouloir embrasser dans le cadre de cet ouvrage l'ensemble des productions régionales à la fois à travers le temps et la diversité des provinces françaises. D'autant que l'homogénéité n'est pas la règle, que ce soit dans les différentes classes sociales d'une même unité géographique, ou dans les particularismes qui varient d'un canton à l'autre. Est-il besoin de souligner les différences au sein d'une même province entre les meubles des nobles ou de la bourgeoisie, et les meubles populaires ou paysans? Les différences de climat, d'essences de bois disponibles (l'usage de bois indigène est la règle, sauf dans les régions portuaires), économiques (les provinces sont plus ou moins riches), culturelles (influences espagnole ou italienne dans le Midi, flamande et hollandaise au nord, allemande à l'est), expliquent, justifient la grande variété des mobiliers régionaux. Toutefois en raison du caractère centralisateur de l'action des rois puis de la République, et de l'influence de la Cour puis de Paris, il existe certains caractères communs qui ont marqué à travers les trois derniers siècles les meubles régionaux.

Nous ne nous attarderons pas sur l'histoire du meuble régional. Le meuble n'apparaît dans les classes les plus pauvres que lorsqu'elles sortent du dénuement pour commencer à épargner. A quoi servirait l'armoire s'il n'y avait pas de linge, de bijoux ou d'armes à «serrer»? A quoi servirait le coffre s'il n'y avait pas de grain ou de sel à stocker et à protéger? Le meuble régional naît au XVIIe siècle, se répand au XVIIIe et se généralise au XIXe siècle. D'une construction simple[2] il est en général en bois naturel avec parfois des incrustations. Son style apparent ne concorde pas toujours avec son âge : les modes parisiennes ne parviennent en province qu'avec retard, parfois un demi-siècle. La diffusion de nouveaux modèles se fait quelquefois par l'intermédiaire des colporteurs qui vendaient aux menuisiers locaux des planches de modèles, gravées par les ornemanistes en renom... ou disparus depuis plusieurs années. Enfin, les artisans utilisaient et gardaient par habitude et (ou) économie, durant un laps de temps généralement long, leurs gabarits et modèles de meubles.

La classification des meubles régionaux s'établit autour des deux grands mouvements qui s'opposent et se succèdent tout au long de l'histoire du meuble : celui où triomphe la ligne droite et celui où la courbe et la sinuosité s'imposent. Le premier, qualifié de Louis XIII populaire est caractérisé par une composition architecturale : meuble en forme d'édifices à fronton, à colonnes en bois tourné, aux panneaux sculptés de motifs géométriques simples (dents de scie, chevrons, rosace et rouelles) ou plus complexes (losanges, pointes de diamant, croix de Malte ou de Saint-André), en vigueur dans le Sud-Ouest, en Alsace, en Auvergne et en Bretagne notamment. Le second, appelé le Louis XV populaire, est marqué par des courbes, des contrecourbes, des moulures sinueuses. Il est adopté en Provence et en Normandie entre autres.

Le répertoire décoratif appartient aux deux grands mouvements, géométrique ou naturaliste, le second l'emporte avec les symboles rustiques, d'amour et de prospérité (gerbes de blé, vignes, fleurs des champs, oiseaux roucoulant, cœurs, etc.). Dans certaines provinces fortement marquées par le christianisme (Bretagne, Vendée ou Alsace) les symboles religieux sont également très fréquents.

L'exotisme et les styles

A toutes les époques, même lorsque le mobilier français donne le ton, au XVIIIe siècle notamment, les influences étrangères, européennes ou plus franchement exotiques contribuent à enrichir, surtout dans le domaine du décor, les meubles français. De même, de très nombreux ébénistes étrangers pratiquant en France ont donné leurs lettres de noblesse aux styles français. Sans revenir à l'influence de la Renaissance italienne sur la Renaissance française, il faut rappeler l'importance prise par les «turqueries» dans les décors Louis XIV, celle des «chinoiseries» dans les meubles Louis XV. Sous le Directoire, le Consulat et l'Empire, l'égyptomanie fait fureur. L'influence naturaliste du Japon contribue à façonner le style «Art Nouveau», de même que celle des arts dits primitifs (africains et océaniens) féconde le mouvement «Art Déco».

1. Sous la direction de Jean Bedel. Ed. Larousse.

2. Nous écartons de cette classification tous les meubles d'ébénisterie marquetés qui, s'ils peuvent présenter quelques caractéristiques locales, sont dans la plupart des cas semblables aux meubles de cour ou bourgeois.

Chronologie des styles

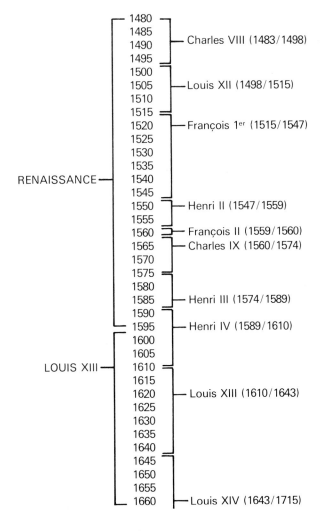

	1480	
	1485	Charles VIII (1483/1498)
	1490	
	1495	
	1500	
	1505	Louis XII (1498/1515)
	1510	
	1515	
	1520	François 1er (1515/1547)
	1525	
	1530	
	1535	
RENAISSANCE	1540	
	1545	
	1550	Henri II (1547/1559)
	1555	
	1560	François II (1559/1560)
	1565	Charles IX (1560/1574)
	1570	
	1575	
	1580	
	1585	Henri III (1574/1589)
	1590	
	1595	Henri IV (1589/1610)
	1600	
	1605	
LOUIS XIII	1610	
	1615	
	1620	Louis XIII (1610/1643)
	1625	
	1630	
	1635	
	1640	
	1645	
	1650	
	1655	
	1660	Louis XIV (1643/1715)

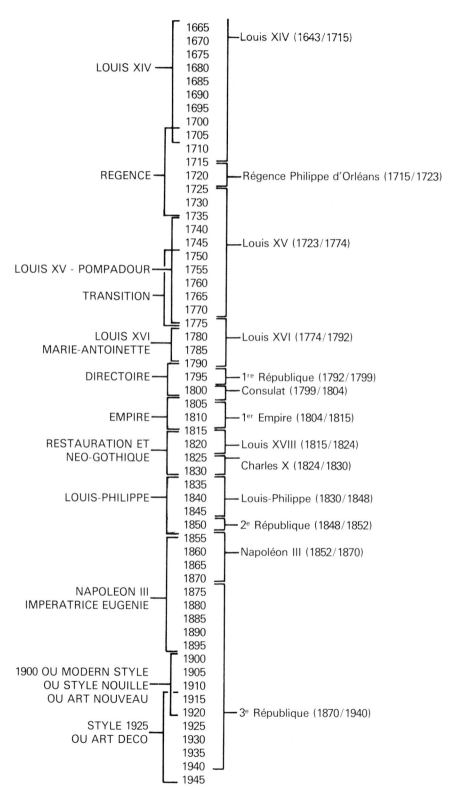

Style	Date	Période
	1665	— Louis XIV (1643/1715)
	1670	
	1675	
LOUIS XIV —	1680	
	1685	
	1690	
	1695	
	1700	
	1705	
	1710	
	1715	
REGENCE —	1720	— Régence Philippe d'Orléans (1715/1723)
	1725	
	1730	
	1735	
	1740	
	1745	— Louis XV (1723/1774)
	1750	
LOUIS XV - POMPADOUR —	1755	
	1760	
TRANSITION —	1765	
	1770	
	1775	
LOUIS XVI	1780	— Louis XVI (1774/1792)
MARIE-ANTOINETTE	1785	
	1790	
DIRECTOIRE —	1795	— 1re République (1792/1799)
	1800	— Consulat (1799/1804)
	1805	
EMPIRE —	1810	— 1er Empire (1804/1815)
	1815	
RESTAURATION ET	1820	— Louis XVIII (1815/1824)
NEO-GOTHIQUE	1825	
	1830	— Charles X (1824/1830)
	1835	
LOUIS-PHILIPPE —	1840	— Louis-Philippe (1830/1848)
	1845	
	1850	— 2e République (1848/1852)
	1855	
	1860	— Napoléon III (1852/1870)
	1865	
	1870	
NAPOLEON III	1875	
IMPERATRICE EUGENIE	1880	
	1885	
	1890	
	1895	
	1900	
1900 OU MODERN STYLE	1905	
OU STYLE NOUILLE —	1910	
OU ART NOUVEAU	1915	
	1920	— 3e République (1870/1940)
STYLE 1925	1925	
OU ART DECO	1930	
	1935	
	1940	
	1945	

Style, époque, copie et faux

Question de vocabulaire

Une certaine ambiguïté, pour ne pas dire une ambiguïté certaine, s'est établie dans l'usage du vocabulaire employé dans le marché de l'art et des meubles anciens. Le décret n° 81 255 du 3 mars 1981 sur la répression des fraudes en matière de transaction d'œuvres d'art et d'objets de collection apporte quelques précisions permettant à l'amateur de mieux connaître ce que recouvrent certaines expressions. En voici le texte.

LE TEXTE DU DÉCRET

**MINISTERE DE LA CULTURE
ET DE LA COMMUNICATION**

Décret n° 81-255 du 3 mars 1981 sur la répression des fraudes en matière de transactions d'œuvres d'art et d'objets de collection.

Le Premier Ministre,

Sur le rapport du garde des sceaux, ministre de la justice, du ministre de l'agriculture et du ministre de la culture et de la communication,

Vu le code civil, et notamment ses articles 1109, 1110, 1116, 1131 et 1641 ;

Vu le code général des impôts, et notamment son annexe III (art. 71) ;

Vu le code pénal, et notamment son article R. 25, complété par le décret n° 80-567 du 18 juillet 1980 ;

Vu la loi du 9 février 1895 sur les fraudes en matière artistique ;

Vu la loi du 1er août 1905 sur les fraudes et falsifications en matière de produits et de services et notamment son article 11, ensemble les textes qui l'ont modifiée, notamment la loi n° 78-23 du 10 janvier 1978 ;

Vu le décret modifié du 22 janvier 1919 pris pour l'application de la loi du 1er août 1905 susvisée ;

Vu le décret n° 50-813 du 29 juin 1950 relatif au commerce du meuble, modifié par le décret n° 66-178 du 24 mars 1966 ;

Vu le décret n° 56-1181 du 21 novembre 1956 modifiant le tarif des commissaires-priseurs ;

Vu le décret n° 68-786 du 29 août 1968 relatif à la police du commerce de revendeurs d'objets mobiliers ;

Le Conseil d'État (section de l'intérieur) entendu,

Décrète :

Art. 1er. – Les vendeurs habituels ou occasionnels d'œuvres d'art ou d'objets de collection ou leurs mandataires, ainsi que les officiers publics ou ministériels procédant à une vente publique aux enchères doivent, si l'acquéreur le demande, lui délivrer une facture quittance, bordereau de vente ou extrait du procès-verbal de la vente publique contenant les spécifications qu'ils auront avancées quant à la nature, la composition, l'origine et l'ancienneté de la chose vendue.

Art. 2. – La dénomination d'une œuvre ou d'un objet, lorsqu'elle est uniquement et immédiatement suivie de la référence à une période historique, un siècle ou une époque, garantit l'acheteur que cette œuvre ou objet a été effectivement produit au cours de la période de référence.

Lorsqu'une ou plusieurs parties de l'œuvre ou objet sont de fabrication postérieure, l'acquéreur doit en être informé.

Art. 3 – A moins qu'elle ne soit accompagnée d'une réserve expresse sur l'authenticité, l'indication qu'une œuvre ou un objet porte la signature ou l'estampille d'un artiste entraîne la garantie que l'artiste mentionné en est effectivement l'auteur.

Le même effet s'attache à l'emploi du terme «par» ou «de» suivi de la désignation de l'auteur.

Il en va de même lorsque le nom de l'artiste est immédiatement suivi de la désignation ou du titre de l'œuvre.

Art. 4 – L'emploi du terme «attribué à» suivi d'un nom d'artiste garantit que l'œuvre ou l'objet a été exécuté pendant la période de production de l'artiste mentionné et que des présomptions sérieuses désignent celui-ci comme l'auteur vraisemblable.

Art. 5 – L'emploi des termes «atelier de» suivis d'un nom d'artiste garantit que l'œuvre a été exécutée dans l'atelier du maître cité ou sous sa direction.

La mention d'un atelier est obligatoirement suivie d'une indication d'époque dans le cas d'un atelier familial ayant conservé le même nom sur plusieurs générations.

Art. 6 – L'emploi de termes «école de» suivi d'un nom d'artiste entraîne la garantie que l'auteur de l'œuvre a été l'élève du maître cité, a notoirement subi son influence ou bénéficié de sa technique. Ces termes ne peuvent s'appliquer qu'à une œuvre exécutée du vivant de l'artiste ou dans un délai inférieur à cinquante ans après sa mort.

Lorsqu'il se réfère à un lieu précis, l'emploi du terme «école de» garantit que l'œuvre a été exécutée pendant la durée d'existence du mouvement artistique désigné, dont l'époque doit être précisée et par un artiste ayant participé à ce mouvement.

Art. 7 – Les expressions «dans le goût de», «style», «manière de», «genre de», «d'après», «façon de», ne confèrent aucune garantie particulière d'identité d'artiste, de date de l'œuvre ou d'école.

Art. 8 – Tout fac-similé, surmoulage, copie ou autre reproduction d'une œuvre d'art ou d'un objet de collection doit être désigné comme tel.

Art. 9 – Tout fac-similé, surmoulage, copie ou autre reproduction d'une œuvre d'art originale au sens de l'article 71 de l'annexe III du code général des impôts, exécuté postérieurement à la date d'entrée en vigueur du présent décret, doit porter de manière visible et indélébile la mention «Reproduction».

Art. 10 – Quiconque aura contrevenu aux dispositions des articles 1er et 9 du présent décret sera passible des amendes prévues pour les contraventions de la cinquième classe.

Art. 11 – Le garde des sceaux, ministre de la justice, le ministre de l'agriculture et le ministre de la culture et de la communication sont chargés, chacun en ce qui le concerne, de l'exécution du présent décret, qui sera publié au Journal Officiel de la République Française.

Fait à Paris le 3 mars 1981.

En clair, «bureau Louis XV» signifie qu'il est d'époque Louis XV; si une partie de ce bureau est de fabrication postérieure ou a subi des restaurations importantes, l'acheteur doit en être informé. Pour les meubles de style, il est indispensable de faire état de l'époque de fabrication. On a vu que sous le Second Empire notamment, mais aussi au début du XXe siècle et même à la période actuelle ont été, sont fabriqués des meubles imitant des styles précédents. Il faut donc bien préciser : «bureau de style Louis XV, époque Napoléon III» ou bien «bureau de style Louis XV, début du XXe», selon les cas.

Mais un meuble de style peut être considéré comme une «antiquité». Rappelons que jusqu'à une période récente «antiquité» qualifiait tout meuble ou objet de plus de cent ans d'âge. Ainsi un meuble de style Louis XV fabriqué en 1880 est bien une antiquité. Depuis un arrêté du 30 octobre 1975, est assimilé aux antiquités (soumises à contrôle douanier) «les objets de plus de 20 ans d'âge d'une valeur supérieure à 5 000 F». Une disposition qui permet de contrôler, voire d'empêcher des créations des années 1900, 1925, 1950 de sortir de France.

L'estampille

Pour les mentions d'estampille il faut bien distinguer les libellés : «estampille de...» et «estampillé de...». Seul dans la pratique le second garantit à l'acheteur que le meuble est estampillé du menuisier ou de l'ébéniste dont le nom figure sur le meuble. Ce qui ne signifie pas que dans le premier libellé il s'agisse d'un estampillage abusif mais simplement qu'on n'en a pas la certitude absolue. Soulignons que dans la pratique, ces dispositions ne sont pas toujours respectées. Il n'est pas rare qu'antiquaires, brocanteurs ou commissaires priseurs se contentent de désigner – sans intention de tromper – des meubles sans préciser l'époque de fabrication. A l'amateur de la faire mentionner.

Une copie est une imitation contemporaine ou postérieure d'un meuble. La copie peut être plus ou moins fidèle et plus ou moins tardive. S'il s'agit d'une copie exacte tant dans ses proportions que dans les matériaux employés et le décor, il s'agit d'une réplique. Au XIXe siècle on a réalisé des répliques de meubles célèbres, royaux ou princiers du XVIIIe, de même qu'on a exécuté de nombreuses copies mais aussi des pastiches des meubles Louis XIV, Louis XV ou Louis XVI. L'industrie du meuble actuelle se consacre, pour une grande part, à la réalisation de meubles «de style». On a réalisé, on réalise encore des copies pour compléter un salon dont des pièces auraient disparu ou auraient été endommagées ou détruites, pour réassortir des ensembles mis à mal par le temps ou l'histoire.

Les copies sont tout à fait utiles et légitimes, même si elles sont contestables sur le plan de la création pure. Leur utilisation est plus contestable encore lorsque des marchands indélicats les présentent, les proposent comme des pièces authentiques, appartenant à une époque à laquelle elles sont étrangères : elles deviennent des faux.

Les meubles anciens : une valeur refuge

Les règles du marché de l'art

Il existe quelques règles qui régissent le marché de l'art et celui des ventes aux enchères publiques[1].

Le prix d'un meuble ancien dépend de plusieurs critères, les principaux étant – dans un ordre non hiérarchique – son ancienneté, sa rareté, sa qualité décorative, son originalité et son état de conservation. La notoriété de son auteur – ébéniste, menuisier ou artisan – s'il est identifié, sera un élément de surcote. De même si le meuble possède un certificat d'authenticité, s'il a appartenu à une personnalité historique ou contemporaine célèbre, s'il a figuré dans une exposition, s'il est cité dans un ouvrage de référence, il bénéficiera d'une plus-value. A sa valeur propre vient s'ajouter une valeur sentimentale, une cote d'amour que nul expert ne peut chiffrer. D'autant moins que les conditions mêmes dans lesquelles se déroule une vente peuvent agir sur le prix à la hausse comme à la baisse : la présence ou l'absence d'amateurs motivés, la mode, l'environnement politique, économique ou fiscal. Parmi les autres éléments qui contribuent à la formation des prix il faut retenir : la nature du meuble, l'essence du bois, le décor, voire les dimensions quelquefois peu pratiques. Le chêne et le noyer ont meilleure réputation que le pin et le mélèze mais sont moins cotés que les bois fruitiers ou l'acajou. La marqueterie, bien que fragile, atteint généralement des prix plus élevés que les simples incrustations, moulures ou sculptures. La présence de bronzes dorés, de marbres ou de garnitures de tissus et de tapisseries d'époque en bon état sont des sources importantes de plus-values.

Les créations de la fin du XIXe siècle négligées il y a une quinzaine d'années atteignent et même dépassent le seuil psychologique des 10 000 F. S'il s'agit de pièces raffinées, souvent fabriquées pour la cour, signées d'ébénistes fameux ou provenant de collections célèbres, le meuble français du XVIIIe siècle affirme sa position de placement de père de famille. Les meubles du XVIIIe siècle même plus courants et à un degré moindre leurs copies anciennes du XIXe siècle ont atteint de tels sommets que des amateurs aux revenus plus modestes se rabattent sur les meubles d'époque Restauration, Louis-Philippe, Napoléon III ou sur les productions régionales du XIXe siècle. Quant aux sièges ils ne manquent pas d'acheteurs, surtout lorsqu'il s'agit de modèles du XVIIIe siècle en bon état. Par ailleurs les collectionneurs considèrent moins la valeur d'usage d'un meuble que son intérêt plastique. Enfin, l'attrait de l'insolite et le goût pour des formes inhabituelles et baroques expliquent certaines enchères fastueuses. Autre phénomène remarquable, le succès des ébénistes, ornemanistes ou ensembliers de la période Art Nouveau et celui des pièces de luxe créées entre 1925 et 1940 signées Ruhlmann, Dunand, Rateau, Leleu, Printz, Rousseau etc.

Les meubles anciens partagent avec les tapis, l'argenterie et les objets d'ameublement une supériorité sur toutes les autres antiquités : leur valeur d'usage. Et contrairement à la plupart des meubles contemporains, *difficilement vendables* en *deuxième* ou *troisième main,* ils possèdent l'avantage de constituer une valeur refuge. C'est pourquoi leur succès auprès des amateurs ne s'est jamais démenti.

Expertises

Rappelons que pour obtenir une identification plus précise sur l'authenticité ou l'époque d'un meuble on peut avoir recours à l'expertise.

– L'expert pourra alors déterminer, en fonction des détails techniques, qui auraient pu échapper à l'amateur, des matériaux utilisés et de leur mise en œuvre, une estimation plus affinée du meuble ou du siège.

– Les experts interviennent dans le cas d'expertise judiciaire, ils sont alors désignés par le tribunal, dans le cas de succession-partage, ou simplement pour le particulier à l'occasion d'une vente ou lorsqu'il y a litige.

– Les experts en ameublement et objets d'art sont groupés en Compagnie, certains sont même spécialisés dans une époque : meubles et sièges anciens de la haute époque ou XIXe siècle ou ameublement contemporain.

---

1. Pour les enchères enregistrées depuis le 1er janvier 1983, les frais à ajouter aux prix d'adjudication sont de : 17,674 % jusqu'à 6 000 F; 12,337 % de 6 000 à 20 000 F; 10,558 % au-dessus de 20 000 F. Et pour le calcul rapide appliqué aux enchères supérieures à 20 000 F, il faut compter 10 558 % plus 676,02 F.

Armoires

Armoire en chêne début du XVIIe s.

Armoire à hauteur d'appui de forme rectangulaire en placage d'amarante à coins arrondis décorés de cannelures de cuivre doré. Elle ouvre à deux portes décorées de panneaux en laque de Chine à décor de branchages fleuris d'oiseaux et de papillons sur fond noir. (Doc. Etude Ader-Picard-Tajan, Paris)

Armoire : Meuble de rangement de grandes dimensions plus haut que large. Le mot latin *armarium* désigne l'endroit où l'on met les armes à l'abri. Après le lit, le banc et la table, l'armoire est l'un des meubles les plus anciens que l'homme ait utilisé. A l'origine, l'armoire n'est pas un meuble, mais une cavité aménagée dans un mur, fermée par un ou deux vantaux où l'on « serre » les armes, les vêtements, les objets précieux, les bijoux. De placard solidaire du bâtiment, l'armoire devient un meuble que l'on peut déplacer et qui assure les mêmes fonctions. De tous les meubles c'est celui qui change le moins de forme et de structure tout au long des siècles.

L'ossature est faite d'un bâti se composant de montants verticaux et de traverses, assemblés à tenons et mortaises, qui encadrent sept panneaux : deux portes, deux côtés, le dessus (toit), le fond (plancher) et le dos. L'ensemble peut être surmonté d'une coiffe, appelée également chapeau, fronton ou corniche, et reposer sur des pieds, simples prolongements des montants verti-caux ou accessoires spécialement fabriqués (tournés ou sculptés et fixés aux montants). Un ou plusieurs tiroirs peuvent également être aménagés à la base.

Du Moyen Age à Louis XIV

Jusqu'en 1300, l'armoire se présente comme un coffre carré et trapu à l'assemblage rustique. Des planches réunies à joints vifs ou à grain d'orge, maintenues par des pentures de fer, constituent les panneaux revêtus de cuir ou peints. A la fin du XVe siècle, l'amélioration des techniques, avec l'adoption de l'assemblage à rainures et languettes, conduisent à la disparition des pentures : des moulures plus ou moins riches, plus ou moins complexes délimitent les panneaux qui eux-mêmes se couvrent d'un décor sculpté.

A la Renaissance, l'armoire adopte une forme architectonique avec une corniche moulurée et un fronton triangulaire et arbore des décors composés d'abondantes sculptures, inspirées du répertoire antique.

Au XVIIᵉ siècle, le développement du tournage conduit à la multiplication des colonnes : certaines, torsadées, viennent orner la façade, prenant la place ou doublant les montants verticaux. A l'emploi presque exclusif du chêne, du noyer et du châtaignier, vient s'ajouter celui d'autres bois, celui de l'os ou de l'ivoire aussi, pour composer des décors de motifs incrustés, principalement des rosaces et des étoiles. D'abord fabriquée exclusivement par les menuisiers en bâtiment ou les menuisiers en meubles, l'armoire est également fabriquée par les ébénistes qui couvrent les panneaux de marqueterie mise au goût du jour par Boulle et composée de cuivre, d'étain, d'écaille, de nacre et de bois précieux.

De la Régence à l'«Art Déco»

Après le règne de Louis XIV, les dimensions – considérables – de l'armoire diminuent à l'image de celles des demeures de la Régence. Les placages et marqueteries de bois de rose, d'amarante, de palissandre et de bois de violette se multiplient. Sous le règne de Louis XV, les frontons se cintrent, les armoires retrouvent des dimensions monumentales notamment pour les modèles utilisés en garde-robe. Les productions en bois naturel mouluré et sculpté présentent des médaillons couverts de motifs en semi haut-relief (en demi ronde-bosse). L'acajou employé en placage par les ébénistes de Paris et des capitales provinciales est utilisé en massif dans les ports de la côte atlantique et de la Manche (Bordeaux, Nantes, La Rochelle, Saint-Malo).

Sous l'Empire, les armoires prennent de la hauteur, regagnent un fronton triangulaire, perdent leurs moulures et retrouvent – à l'occasion – des colonnes en façade. L'armoire à glaces, née au XVIIIᵉ siècle, envahit les chambres Louis-Philippe et Second Empire. A la fin du XIXᵉ siècle, l'armoire retrouve l'aspect architectural qu'elle présentait sous le règne de Henri II. Les formes végétales de l'Art Nouveau, ses ondulations donnent à l'armoire une élégance, une légèreté qui ne correspondent guère à sa fonction. En revenant au fonctionnalisme, au «géométrisme» et à la stylisation, l'Art Déco rend à l'armoire son aspect de parallélépipède brut. Seule la richesse des matériaux employés donne quelque lustre à un meuble dont l'usage tend à diminuer au fur et à mesure que se développent placards et penderies.

Les armoires provinciales

Dans les campagnes, l'usage de l'armoire se développe en même temps que le niveau de vie s'élève. Il n'est point besoin d'armoire quand un seul coffre suffit pour «serrer» les maigres biens que l'on possède. Si l'on rencontre des armoires dans de riches fermes à la fin du XVIIᵉ et au XVIIIᵉ siècle, leur usage se généralise au XIXᵉ. Elles sont la marque de la prospérité d'une famille : les menuisiers donnent aux portes un développement double afin qu'on puisse les replier complètement le long du meuble ce qui permet d'exposer ainsi, sinon sa richesse, du moins sa prospérité. Dans de nombreuses provinces, l'armoire devient un des principaux éléments de la dot. On a vu au chapitre «Meubles et styles régionaux» le décalage chronologique entre la naissance d'un style à Paris et son utilisation en province.

De surcroît les styles sont différents non seulement d'une province à l'autre mais aussi d'une région, d'un canton à l'autre. Les marques particulières des terroirs sont trop nombreuses pour que l'on puisse ici en faire le tour. Nous ne retiendrons que quelques modèles très caractéristiques. L'armoire bretonne ornée de motifs religieux, du monogramme du Christ ou de l'image du Saint-Sacrement, forme les côtés du fameux lit clos. La célèbre armoire de mariage normande, en chêne, d'inspiration Louis XV ou Louis XVI, présente un volume de sculptures proportionnel à la fortune de la famille qui la fait fabriquer. En Alsace, l'armoire de type architectural, incrustée de bois de couleurs est habillée de sept colonnes en façade et d'un tiroir dans le bas. Dans le Sud-Ouest, les décors géométriques notamment celui dit «à pointes de diamant» et les pieds en forme de «fromages» ou «miches» (boules aplaties) dominent. En Provence, c'est le triomphe de l'exubérance rocaille : un foisonnement de sculptures représentant des feuilles de vigne ou d'olivier, des épis de blé... Enfin les productions des ports de la façade atlantique, souvent en acajou massif, sont équipées non plus de garnitures de fer mais de cuivre qui ont l'avantage de mieux résister à l'action corrosive de l'air marin.

Armoire en bois de placage marqueté, tiroir dans le bas. Alsace XVIIe s., H. 215 cm. L. 208 cm.

(Doc. Etude Guérin, Saint-Dié).

Armoire en bois naturel mouluré et sculpté, panneaux sculptés de motifs géométriques. XVIIe s.

(Doc. Etude Osenat, Fontainebleau).

Petite armoire en bois naturel, porte à panneaux sculptés en pointes de diamant, montants et dormant sculptés de motifs fleuris. XVIIᵉ s. H. 208 cm. L. 178 cm. P. 65 cm.

(Doc. Etude Ader-Picard-Tajan, Paris)

*Armoire en bois de placage marqueté, colonnes torses en façade.
Alsace. XVIIᵉ s.*

(Doc. Etude Guérin, Saint-Dié).

Armoire en bois de placage marqueté, deux portes à décor de grands
cartouches baroques, trois colonnes baguées. Alsace XVIIe s. Datée 1670.
H. 209 cm. L. 201 cm. P. 63 cm.

(Doc. Etude Couturier-de Nicolay, Paris)

Armoire en bois naturel sculpté, motifs de fruits, vases fleuris et grappes de raisin.
Normandie fin du XVIIIe s.

(Doc. Etude Osenat, Fontainebleau).

Armoire en chêne mouluré et sculpté de décor de motifs floraux. XVIIIe s.

(Doc. Etude Loiseau-Schmitz, Saint-Germain-en-Laye).

Armoire comtoise originaire du Doubs, région de Baume-les-Dames ; en chêne avec décor incrusté d'ébène et de fruitier. XIXe siècle.

(Musée des Arts et Traditions Populaires, Paris)

*Armoire de mariage en acajou mouluré et sculpté de motifs néo-classiques,
pieds escargot. XVIIIe s.*

(Doc. Etude Champin-Lombrail, Enghien).

Armoire en bois naturel mouluré et sculpté, motifs décoratifs néo-classiques, inscription aux "droits de l'homme" au fronton, structure de formes Louis XV. Exécutée vers 1789.

(Doc. Etude Guillaumot-Albrand, Lyon).

Grande armoire en acajou, panneaux divisés en caissons, ornementation de bronzes dorés et ciselés. Epoque Louis XVI. H. 262 cm. L. 163 cm. P. 67 cm.

(Doc. Etude Couturier-de Nicolay, Paris).

*Armoire en noyer sculpté de panneaux et de quatrefeuilles.
Franche-Comté XVIIIe s. H. 132 cm. L. 153 cm. P. 60 cm.*

(Doc. Etude Germain-Desamais, Avignon).

Armoire bressane de la région de Montpont (Saône-et-Loire) ; en cerisier et loupe de frêne, décor peint. XIXe siècle.

(Musée des Arts et Traditions Populaires, Paris)

Armoire en bois naturel mouluré et sculpté, fronton cintré.

(Doc. Etude Osenat, Fontainebleau).

Armoire en chêne à deux portes moulurées et sculptées de coquilles, feuillages et rinceaux. XVIIIᵉ s. H. 247 cm. L. 162 cm. P. 70 cm.

(Doc. Etude Ader-Picard-Tajan, Paris).

Armoire en bois naturel, fronton à double cintre, panneaux sculptés de motifs floraux. Signée et datée 1788.

(Doc. Etude Osenat, Fontainebleau).

Armoire comtoise de la région d'Arbois (Jura) ; en chêne. Début du XIXe siècle.

(Musée des Arts et Traditions Populaire, Paris)

Armoire bretonne du pays de Rennes en cerisier. Influence des styles Régence et Louis XV.

(Musée des Arts et Traditions Populaires, Paris)

Armoire, en pin du Dauphiné, région de Molines-en-Queyras (Haute-Alpes), datée 1778. Décor Renaissance.

(Musée des Arts et Traditions Populaires, Paris)

Armoire normande, en chêne ; région de Coutances (Manche). Influence du style Louis XIV.

(Musée des Arts et Traditions Populaires, Paris)

Armoire tourangelle, vers 1830.

(Musée des Arts et Traditions Populaires, Paris)

Importante armoire en bois naturel sculpté de raisins et de grenades.
(Doc. Etude Aguttes-Laurent, Clermont-Ferrand).

Bibliothèques et vitrines

Bibliothèque à doucine en bois de violette ; bronzes dorés. Estampilles de Claude Charles Saunier. Epoque Régence.

(Doc. Bernard Steinitz, Paris)

Vitrine en citronnier et amarante, ornementation de bronzes dorés, d'une paire par Weisweiler. Epoque Louis XVI.

(Doc. Bernard Steinitz, Paris)

En 1720, le célèbre ébéniste Boulle eut à pâtir d'un incendie et, dans l'inventaire qui fut dressé à cette occasion, le mot bibliothèque fait, pour la première fois, son apparition : « une armoire de quatre pieds de haut, en forme de bibliothèque... »

S'il fallut attendre le XVIIIe siècle pour que naisse le vocable de bibliothèque s'appliquant à un meuble, l'apparition de ce meuble est antérieure à cette période.

La bibliothèque commença par être un coffre plus ou moins grand, pourvu de serrures fermant à clefs dans lequel on « serrait » les quelques ouvrages que l'on avait. Les livres, après l'invention de l'imprimerie (vers 1500), étaient encore d'une grande rareté et lorsque l'on voyageait on se déplaçait avec sa bibliothèque.

Il faudra attendre le milieu du XVIIe siècle pour que, le goût des livres et des belles reliures sorte du cercle étroit de quelques érudits et, plus large, des monastères, où l'on conservait les manuscrits et les livres. Il devient donc nécessaire de créer des meubles spécifiques pour les abriter.

Boulle, en un premier temps utilise des armoires qu'il munit de vitres avant de créer un meuble plus spécifiquement adapté aux livres.

Au siècle des Lumières, sous la pression du mouvement encyclopédiste, le livre connaît un développement sans précédent favorisé par les progrès techniques de l'imprimerie.

Dès lors, la bibliothèque devient le meuble à la mode, on le rencontre chez toutes les familles qui se piquent de curiosité intellectuelle. Il est fait de bois d'amarante et garni de taffetas rouge, en bois de citron tapissé de taffetas vert; il peut être en acajou massif ou en bois des Indes. Il peut avoir un dessus de marbre, être orné de bronze doré, d'or moulu. C'est l'époque où l'art, influencé par le baroque italien, l'art oriental, adopte les formes tourmentées et l'asymétrie. Parmi les éléments décoratifs on trouve des rocailles, des baguettes enrubannées. Sous Louis XVI, c'est le retour au néo-classique, on retrouve les lignes droites, les angles sont à pans coupés ou à ressaut. Les meubles s'ornent de perles, de nœuds de ruban, de cannelures, d'oves ou de cariatides.

Les dimensions les plus courante sont de 2 mètres à 2,50 mètres environ sur une largeur de 1,20 mètre. Cependant on fabrique aussi à cette époque de petites bibliothèques dites «volantes» montées sur pieds ne dépassant guère la hauteur de 0 m 80.

L'Antiquité inspire les artisans de la Révolution : les bois sont peints, parfois de couleurs criardes.

Ce goût pour l'antique s'affirme sous l'Empire. Le mobilier se pare d'une majestueuse gravité, voire d'une certaine lourdeur. Les sculptures ou autres moulures sont rejetées; les meubles de formes cubiques ont des angles à arêtes vives.

Si le mobilier de la Restauration conserve les formes de l'Empire, l'emploi de bois comme le palissandre, l'amarante, le citronnier que viennent rehausser des incrustations, donne à ce mobilier un caractère qui lui est propre.

La mode néo-gothique agrémente le fronton des bibliothèques de donjons ou autres chemins de ronde miniatures. Cette mode persistera jusqu'au milieu du XIXe siècle.

Pastichant les styles nés au cours des siècles précédents, le mobilier Napoléon III peut s'enorgueillir d'avoir produit beaucoup plus de bibliothèques «Régence» ou Louis XV» qu'il n'y en eut sans doute sous la Régence ou sous le règne du Bien Aimé.

L'Art Nouveau, sous l'impulsion des artistes de l'École de Nancy, Gallé et Majorelle entre autres, crée un style s'inspirant directement du monde végétal. Il se caractérise par des lignes flexibles, courbes et contrecourbes qui s'enroulent comme des plantes grimpantes ou s'évasent comme certaines fleurs.

Aux courbes de l'Art Nouveau vont succéder les lignes droites du mouvement des Arts Décoratifs influencé notamment par les cubistes et le «Bauhaus».

Bibliothèque à hauteur d'appui en marqueterie de Boulle à fond d'écaille rouge et cuivre. Début de l'époque Louis XIV.

(Doc. Etude Millon-Jutheau, Paris).

Armoire bibliothèque en écaille rouge marquetée de cuivre et d'étain.
Epoque Régence. H. 208 cm. L. 133 cm P. 39 cm.

Petite bibliothèque ouvrant par deux portes grillagées. Placage d'ébène, cuivre et bois noirci. Dessus à doucine, montants à cannelures de cuivre. Epoque Régence. H. 146 cm. L. 120 cm.

(Doc. Etude Ader-Picard-Tajan, Paris).

Armoire d'architecte formant bibliothèque en bois plaqué d'acajou moluré à décor de rosaces, quatre portes vitrées, fronton débordant.

Estampille de J.F. Leleu. Epoque Louis XVI. H. 250 cm. L. 277 cm. P. 70 cm.

(Doc. Etude Ader-Picard-Tajan, Paris)

Vitrine de style transition, placage d'acajou, décor peint au vernis Martin, bronzes ciselés et dorés. Estampille de Ќrieger. Seconde moitié du XIXᵉ siècle.

(Doc. Lecoules, Paris)

Petite bibliothèque en bois de placage marqueté et ornementation de bronzes dorés. Estampille de Rubestuck. Epoque Louis XVI.

(Doc. Etude Cornette de Saint-Cyr, Paris).

Bibliothèque en bois de placage marqueté dans le goût de Boulle. Travail d'esprit Louis XIV d'époque Napoléon III. H. 213 cm. L. 152 cm. P. 44 cm.

(Doc. Etude Cornette de Saint-Cyr, Paris)

▲

*Vitrine de forme arrondie en bois de placage et
ornementation de bronzes dorés, dans le bas,
médaillon à décor de biscuit.
Style Transition Louis XV-Louis XVI. H. 205 cm.
L. 108 cm. P. 46 cm.*

(Doc. Etude Champin-Lombrail, Enghien).

◀

*Vitrine en bois de placage marqueté de vases de
fleurs. Style Louis XVI. Epoque Napoléon III.
H. 156 cm. L. 86 cm.*

(Doc. Etude Lelièvre-Bailly-Pommery, Chartres)

▶

*Vitrine contournée à décor en vernis Martin de
scène galante. Epoque Napoléon III.*

(Doc. Etude Osenat, Fontainebleau).

Vitrine, création de Zwiener, bois de violette et bronzes ciselés et dorés. Estampillé E. Zwiener. Seconde moitié du XIXe siècle.

(Doc. Lecoules, Paris)

Bibliothèque à décor de marqueterie d'iris et de paysage lacustre. Travail de Louis Majorelle. Période Art Nouveau.

(Doc. Etude Ader-Picard-Tajan, Paris)

Vitrine en marqueterie dans le goût de Boulle. Epoque Régence.

(Doc. Etude Couturier-de-Nicolay, Paris).

Bibliothèque en acajou massif et verre américain à décor de fer forgé. Travail de Louis Majorelle. Période Art Nouveau.

(Doc. Etude Ader-Picard-Tajan, Paris)

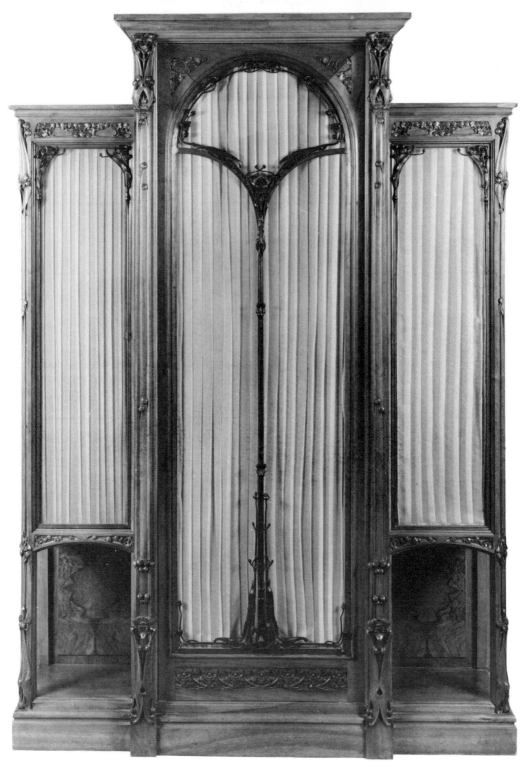

Vitrine en noyer mouluré et sculpté et fer forgé. Modèle du Salon d'Automne de 1912. Travail de Louis Majorelle. Période Art Nouveau.

(Doc. Etude Couturier-de Nicolay, Paris).

Buffets, bahuts, crédences et vaisseliers

Buffet, Est de la France début du XIXᵉ s.

Buffet en chêne du début du XVIIIe s.

Qui dit buffet, dit victuailles et le mot, dans le langage contemporain, désigne non seulement le meuble dans lequel on serre provisions et vaisselle, mais aussi la table dressée pour la fête. Or, le buffet, à ses origines, servait à tout autre chose.

Naissance et fonction du buffet

Le buffet médiéval, en effet, n'est qu'un petit meuble fermant à clé où l'on met à l'abri les objets précieux. Ainsi, lorsque Louis XI, à l'approche de la mort, fait venir de Reims une ampoule contenant les Saintes Huiles, Philippe de Commynes précise «qu'elle lui fust apportée et estoit sur son buffet à l'heure de sa mort». Le buffet, à cette époque, est donc une sorte de cabinet fixe, dont la présence dans la chambre à coucher est habituelle et qui sert à tout : on y pose des livres, des bougeoirs, des objets usuels, voire un peu de linge... bref, tout ce qu'il convient de garder à portée de la main.

Mais il existe aussi, au Moyen Age, une autre sorte de buffet : le dressoir, agencement, parfois provisoire, de tablettes superposées sur lesquelles on expose la vaisselle, l'orfèvrerie, et les mets lors des festivités. Le buffet, tel que nous le connaissons, n'apparait vraiment qu'au XVIe siècle, lorsque la mode du coffre commence à décliner. Mi-garde-manger, mi-meuble de rangement, il se distingue de l'armoire par sa séparation en deux parties : un corps supérieur, en retrait posé sur une partie basse. Ses formes sont variées : il se compose souvent de deux meubles à vantaux, posés l'un sur l'autre, parfois aussi d'un seul meuble surmonté d'un vaisselier.

Aucune pièce en particulier n'est réservée au buffet. A l'époque, la bourgeoisie dîne à la cuisine et la noblesse se fait servir dans la chambre ou dans la salle. Aussi trouvera-t-on des buffets dans tous les endroits de la demeure. Suivant la pièce à laquelle il est destiné, le meuble est plus ou moins décoré. En bois plein, souvent chêne ou noyer, il peut être somptueusement sculpté de grotesques, cariatides, têtes féminines... C'est le cas, par exemple, sous Henri II. Plus tard, ce décor exubérant va s'assagir et l'on trouvera, au XVIIe siècle, de magnifiques meubles ornés de «pointes de diamants».

Meuble de parade, destiné à exposer les richesses, le buffet prend le nom de crédence et se répand avec l'apparition du tiers-état qui en fait un grand usage, imite la noblesse et s'en sert comme présentoir pour la vaisselle et l'orfèvrerie. Il est, par définition, exclu des demeures pauvres qui n'ont rien à mettre en évidence.

Le buffet bas au XVIIIe siècle

Au XVIIIe siècle, le buffet commence à se simplifier : de nombreux modèles de buffets bas voient le jour, certains surmontés d'un marbre sur lequel il est possible de poser les plats. De dimensions plus modeste, moins décoré aussi, le buffet bas reste cependant un meuble raffiné et Lazare Duvaux, le célèbre marchand de l'époque, en fournit de bien jolis à sa riche clientèle. Il seront nombreux dans les premières salles à manger du XVIIIe siècle tandis que les buffets deux corps, peu à peu, vont se retrouver à l'office ou à la cuisine.

Le buffet restera à l'honneur tout au long du XVIIIe et du XIXe siècle. Son essor sera grand dans toutes les provinces françaises, surtout celles de l'Ouest et du Midi où verront le jour quelques uns des plus beaux spécimens. Les provinces de l'Est l'agrémenteront parfois d'une horloge incorporée au milieu du meuble.

Proche du buffet, le bahut possède également deux corps mais la partie supérieure, au lieu d'être en retrait sur la partie basse est à l'aplomb de cette dernière.

A la fin du siècle dernier, Gallé crée quelques buffets Art Nouveau, où la recherche d'une certaine rationalité n'exclut pas un lyrisme débridé inspiré de la nature. Il intitulera le plus beau d'entre eux «Les Chemins d'Automne».

Les bahuts modernes sont aujourd'hui, presque toujours, utilitaires. Les créateurs contemporains s'efforcent de «penser» ce meuble en fonction de son usage, des proportions et des matériaux utilisés, sans exclure la recherche esthétique.

Homme debout en bois naturel mouluré et sculpté de motifs géométriques. Epoque Louis XIII.

(Doc. Etude Osenat, Fontainebleau).

103

Crédence en bois naturel sculpté à décor de colonnes plates cannelées, mascarons, mufles de lions et godrons, deux vantaux et deux tiroirs sur colonnes cannelées. XVIe-XVIIe s. H. 144 cm. L. 124 cm. P. 50 cm.

(Doc. Etude Delorme, Paris)

Crédence en noyer mouluré à patine blonde, travail béarnais. Fin du XVIe-Début du XVIIe s. H. 147 cm. L. 137 cm. P. 50 cm.

(Doc. Etude Ader-Picard-Tajan, Paris)

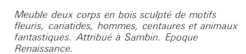

Meuble deux corps en bois sculpté de motifs fleuris, cariatides, hommes, centaures et animaux fantastiques. Attribué à Sambin. Epoque Renaissance.

(Doc. Etude Laurin-Guilloux-Buffetaud-Tailleur, Paris).

Buffet deux corps en bois naturel, panneaux sculptés de personnages, d'animaux et amours, fronton brisé. Epoque Henri IV.

(Doc. Etude Cornette de Saint-Cyr, Paris)

Buffet deux corps en bois naturel à quatre portes et deux tiroirs à décor de motifs géométriques. Epoque Louis XIII.

(Doc. Etude Aguttes-Laurent, Clermont-Ferrand)

Buffet deux corps en bois naturel, corps supérieur légèrement en retrait, quatre portes à cercles concentriques et quatre tiroirs. Travail auvergnat. XVIIe s.

(Doc. Etude Aguttes-Laurent, Clermont-Ferrand).

Buffet deux corps en noyer, corps supérieur en retrait, panneaux en caissons, sculptures de motifs floraux sur les montants. XVIIe s.
H. 198 cm. L. 67 cm. P. 67 cm.

(Doc. Etude Germain-Desamais, Avignon).

Buffet deux corps en bois naturel, mouluré et sculpté, deux tiroirs en ceinture. Fin du XVIIe s. - Début du XVIIIe s.

(Doc. Etude Osenat, Fontainebleau)

*Armoire de boiserie à deux corps, corps supérieur
légèrement en retrait, intérieur mouluré à
étagères aménagées pour la présentation. Travail
du Nord. Fin du XVIIe s.*

(Doc. Etude Aguttes-Laurent, Clermont-Ferrand)

*Buffet deux corps en bois de placage marqueté
de motifs géométriques, deux tiroirs en ceinture.
XVIIe s. H. 200 cm. L. 154 cm. P. 57 cm.*

(Doc. Etude Couturier-de Nicolay, Paris)

Buffet en bois naturel, mouluré et sculpté.
Epoque Louis XIV.

(Doc. Etude Osenat, Fontainebleau)

Buffet en chêne à quatre portes, panneaux
moulurés et sculptés de divers motifs
géométriques et floraux, deux tiroirs. Bretagne
XVIIIe.

(Doc. Etude Boscher, Morlaix).

Buffet deux corps en bois naturel mouluré et sculpté, pieds en escargot. XVIIIe s.

(Doc. Etude Osenat, Fontainebleau).

Buffet en bois naturel mouluré et sculpté de motifs géométriques, ornementation de colonnettes. Bretagne, Début du XVIIIe s. H. 170 cm. L. 190 cm.

(Doc. Etude Ségeron, Saumur).

Meuble en noyer sculpté de motifs végétaux sur l'étagère, le plateau et le vantail marqueterie dite aux blés et aux moissons, décor d'épis de blé, coquelicots et paysages en perspective, ornementation de bronzes patinés. Travail d'Emile Gallé. Période Art Nouveau. H. 168 cm. L. 145 cm. P. 56 cm.

(Doc. Etude Champin-Lombrail, Enghien).

Buffet bas en bois naturel mouluré et sculpté. Travail d'Ile-de-France XVIIIᵉ s.

(Doc. Etude Osenat, Fontainebleau).

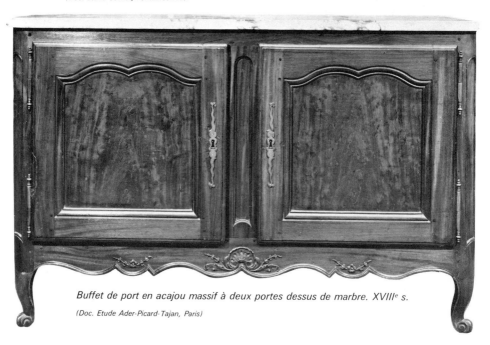

Buffet de port en acajou massif à deux portes dessus de marbre. XVIIIᵉ s.

(Doc. Etude Ader-Picard-Tajan, Paris)

Buffet-vaisselier en bois naturel mouluré et sculpté, horloge au centre. Ancien travail provincial.

(Doc. Etude Ader-Picard-Tajan, Paris).

➤

Petit buffet en bois naturel mouluré et sculpté à deux portes, ceinture ajourée, Provence XVIIIᵉ s.

(Doc. Etude Ader-Picard-Tajan, Paris).

Buffet de chasse en chêne mouluré ouvrant à deux portes à double charnière permettant le repli total des portes sur les côtés.
Estampille de Jean Laurent. Epoque Louis XV.

(Doc. Etude Aguttes-Laurent, Clermont-Ferrand)

*Buffet à deux portes et trois tiroirs en bois naturel mouluré et sculpté. XVIIIe s.
H. 100 cm. L. 211 cm. P. 61 cm.*

(Doc. Etude Ader-Picard-Tajan, Paris).

*Buffet bas en bois de placage marqueté et riche ornementation de bronzes
dorés. Travail de style Louis XV. Epoque Napoléon III.*

(Doc. Etude Labat, Paris).

Buffet de style Louis XVI en marqueterie de bois de placage ornements de bronze ciselé et doré. Signé Jansen. Seconde moitié du XIXe s.

(Doc. Lecoules Paris).

Buffet en acajou mouluré à décor dit ''aux orchidées''. Travail de Louis Majorelle. Période Art Nouveau. H. 117 cm. L. 238 cm. P. 64 cm.

(Doc. Etude Champin-Lombrail, Enghien).

Meuble à hauteur d'appui ouvrant à deux vantaux surmontés d'une étagère,
bois noirci à décor polychrome de bouquets et oiseaux rehaussé d'incrustations
de nacre de burgau et de rinceaux doré. Epoque Napoléon III. H. 138 cm.
L. 120 cm. P. 40 cm.

(Doc. Etude Champin-Lombrail, Enghien).

Buffet de style Louis XIV en marqueterie de bois de placage, ornements de bronze ciselé et doré. Travail de Mercier. Seconde moitié du XIX s.*

(Doc. Lecoules, Paris).

Buffet en loupe d'amboine orné d'un médaillon en bronze doré. Travail de J.E. Ruhlmann. Période Art Déco. H. 112 cm. L. 160 cm. P. 53 cm.

(Doc. Etude Godeau-Solanet-Audap, Paris)

Bureaux et tables à écrire

Petit bureau à cylindre en bois de placage et bois des îles, richement marqueté d'instruments de musique, guirlandes de feuilles de lauriers, rubans, attributs de la guerre et des arts. Riche ornementation de bronzes ciselés et dorés, à cordages, feuilles de laurier, rosaces, feuilles d'acanthe et perles. Par David Roentgen non signé. Epoque Louis XVI.

Bureau plat et son cartonnier, de forme mouvementée, en bois de placage orné de petits panneaux en laque de Chine polychrome et or sur fond noir, à décor de paysages avec pagodes et fleurs Estampille de Dubut. Epoque Louis XV.

(Doc. Etude Ader-Picard-Tajan, Paris)

Le mot bureau évoque, aujourd'hui, un meuble, une pièce, voire un lieu de travail. A l'origine, c'était tout simplement une étoffe. Les scribes et les moines du Moyen Age recouvraient en effet les meubles d'un tissu de laine, appelé «bure» ou «bureau», avant d'y poser les parchemins fragiles et les précieuses reliures. C'est de cette étoffe que le bureau tire, quelques siècles plus tard, son nom.

Certes, la table à écrire existe depuis fort longtemps. C'est à Byzance, sans doute, qu'elle apparaît pour la première fois et qu'elle est utilisée durant tout le Moyen-Âge. Cette table-écritoire, sur pieds tournés, est surmontée d'une sorte de pupitre «porte-manuscrits» ou «porte-livre» et ressemble plutôt à un lutrin.

Au fil des ans, la bure grossière disparaît, remplacée par du drap plus fin ou de la basane, et la couleur vert foncé, réputée bonne pour les yeux, est le plus souvent adoptée. Bientôt, le tapis n'est plus posé sur le meuble mais fait corps avec lui : nous sommes au XVIIe siècle et le bureau proprement dit vient de naître.

Le bureau du XVIIe siècle est posé sur huit pieds et assorti de tiroirs presse-papiers, appelés parfois «cassetins». Le bureau Mazarin, du nom du ministre de Louis XIII et de Louis XIV, va connaître une vogue extraordinaire. Il est muni de deux séries de tiroirs, placés à droite et à gauche et d'une cavité centrale où se logent les jambes.

Boulle va être l'un des premiers à enrichir et décorer le bureau qui devient un élément important du mobilier des grandes demeures. Marqueteries d'écaille, de cuivre, d'étain, bois précieux, bronzes dorés, adjonction d'un cartonnier et d'une pendule incorporés... rien n'est trop beau. Sous le règne de Louis XIV et sous la Régence vont apparaître de merveilleux bureaux plats dont l'usage va se répandre tout au long du XVIIIe siècle.

Le bureau est d'abord et surtout un meuble masculin. Madame de Genlis écrira dans ses *Mémoires* : «J'ai été la première femme qui ait eu un bureau, ce que l'on critiqua beaucoup et ensuite presque toutes les femmes en eurent». Propos sans doute exagéré, puisque le bureau de Marie de Médicis est parvenu jusqu'à nous et que l'on imagine difficilement Madame de Sévigné ou Madame de La Fayette sans une table à écrire.

Au fil des ans, le bureau devient d'un usage courant. Il adopte des formes très diverses et se complique. Le règne de Louis XV apporte le bureau de pente et celui de Louis XVI le bureau à cylindre. Tous deux permettent de refermer le meuble et de mettre ainsi les papiers à l'abri des regards indiscrets. Mais les bureaux à cylindre sont d'une fabrication délicate : il faut des bois résistants et surtout une exécution parfaite, faute de quoi le cylindre ne coulisse pas très bien.

Après l'inévitable floraison des bureaux de style, sous le règne de Napoléon III, l'originalité reprend ses droits avec la révolution de l'Art Nouveau. Le bureau 1900 est plein de fantaisie : l'un des modèles les plus curieux, créé par Rupert Carabin, comporte un plateau en forme de livre supporté par quatre femmes nues.

Puis le bureau suit l'évolution de tous les autres meubles : formes géométriques et dépouillées, utilisation de la glace, du métal, de la matière plastique. Il s'intègre souvent dans des ensembles complets adaptés à nos intérieurs exigus.

Important bureau ''Mazarin'' en placage de marqueterie de cuivre sur fond d'écaille à la manière de Berain.
Epoque Louis XIV.

(Doc. Etude Machoir, Semur-en-Auxois)

Bureau "Mazarin" en écaille rouge dans le goût d'André-Charles Boulle, marqueté de cuivre à la Bérain. Epoque Louis XIV.
H. 83,5 cm. L. 130,5 cm. P. 73 cm.

Bureau "Mazarin" en marqueterie de cuivre sur fond d'écaille rouge. Epoque Louis XIV.

Bureau "Mazarin" en marqueterie de bois de rapport à décor de motifs floraux. Epoque Louis XIV. H. 80 cm. L. 104 cm. P. 71 cm.

(Doc. Etude Couturier-de Nicolay, Paris)

Petit bureau "Mazarin" en placage d'ébène marqueté de cuivre et d'étain. XVIIe s. H. 86 cm. L. 109 cm. P. 65 cm.

(Doc. Etude Ader-Picard-Tajan, Paris)

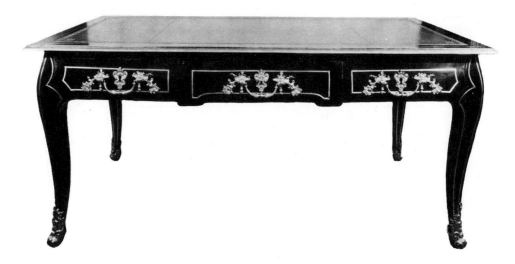

Bureau plat en bois noir à filets de cuivre. Epoque Régence.

(Doc. Etude Couturier-de Nicolay, Paris)

Bureau plat en bois de placage et marqueterie, dessus de cuir vert. Epoque Louis XV. H. 78 cm. L. 131 cm. P. 1,73 cm.

(Doc. Etude Ader-Picard-Tajan, Paris).

Grand bureau plat en bois de placage marqueté de branchages fleuris. Attribué
à P. Roussel. Epoque Louis XV. H. 77 cm. L. 172 cm. P. 89 cm.

(Doc. Etude Couturier-de Nicolay, Paris)

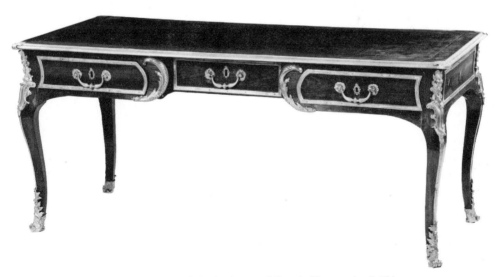

Bureau plat en bois de placage. Début de l'époque Louis XV.

(Doc. Etude Couturier-de Nicolay, Paris).

Bureau plat avec son cartonnier et horloge, en
ébène, reposant sur quatre pieds en forme de
faisceaux de licteurs. Attribué à Montigny.
Epoque Louis XVI. H. 115 cm. L. 148 cm. P. 76
cm.

(Doc. Etude Delorme, Paris).

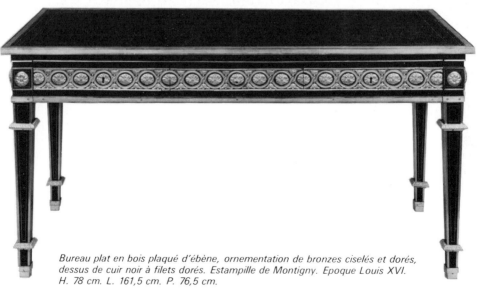

Bureau plat en bois plaqué d'ébène, ornementation de bronzes ciselés et dorés,
dessus de cuir noir à filets dorés. Estampille de Montigny. Epoque Louis XVI.
H. 78 cm. L. 161,5 cm. P. 76,5 cm.

(Doc. Etude Ader-Picard-Tajan, Paris)

Grand bureau plat en placage d'acajou. Epoque Louis XVI. H. 73 cm.
L. 162 cm. P. 91 cm.

(Doc. Etude Couturier-de Nicolay, Paris)

Bureau plat en bois de placage marqueté de cubes et quatrefeuilles. Estampille
de F. J. Teune. Dessus de cuir marron. Epoque Louis XVI. H. 76 cm. L. 165 cm.
P. 91 cm.

(Doc. Etude Ader-Picard-Tajan, Paris)

Bureau plat en acajou, décor de bronzes dorés de palmes et victoires ailées. Estampille de Jacob Desmalter. Epoque Empire.

(Doc. Etude Chapelle-Perrin-Fromantin, Versailles)

Réplique fidèle du bureau de Cressent connu comme ''Bureau de la paix'' sur lequel a été signé le traité de Versailles. Placage d'amarante, filets de cuivre, bronzes ciselés et dorés au mercure. Estampille de Henri Dasson. Seconde moitié du XIXᵉ s.

(Doc. Lecoules, Paris)

Bureau plat en placage d'ébène marqueté de nénuphars en fleurs, ornementation de bronzes dorés. Travail de Louis Majorelle. Art Nouveau. H. 104 cm. L. 145 cm. P. 80 cm.

(Doc. Etude Couturier-de Nicolay, Paris)

Bureau à caissons latéraux ouvrant par cinq tiroirs en ébène de Macassar et métal nickelé. Réalisé pour meubler le palais du Maharadjah d'Indore. Travail de J.E. Ruhlmann. Période Art Déco.

(Doc. Etude Champin-Lombrail, Enghien).

Bureau de salon de forme rognon. Travail de Maurice Dufrène. Epoque
Art Déco. H. 76 cm. L. 160 cm. P. 70 cm.

(Doc. Etude Champin-Lombrail, Enghien).

Bureau de plan hémisphérique
en tubes de chrome
et dalle de verre. Travail de
Charlotte Perriand et Thonet.
H. 79 cm. D. 160 cm.
(Doc. Etude Renaud, Paris)

Bureau à cylindre en acajou. Travail de Roentgen. Epoque Louis XVI. H. 97 cm. L. 115 cm. P. 66 cm.

(Doc. Etude Couturier-de Nicolay, Paris)

Petit bureau à cylindre en bois de placage. Estampille de J.B. Vassou. Epoque Louis XVI. H. 95 cm. L. 97 cm. P. 49 cm.

(Doc. Etude Couturier-de Nicolay, Paris)

Bureau dos d'âne en bois de placage marqueté toutes faces de losanges. Estampille de Latz. Epoque Louis XV. H. 88 cm. L. 68 cm. P. 42,5 cm.

(Doc. Etude Ader-Picard-Tajan, Paris)

Bureau dit capucin en merisier. Epoque Transition Louis XV-Louis XVI.

(Musée des Arts Décoratifs, Paris)

Petit bureau de pente en bois de placage marqueté de losanges et d'une réserve centrale à feuillages, un abattant dissimule deux tiroirs et un casier, pieds cambrés. Travail de style Louis XV par Sormani. XIXᵉ s H. 80,5 cm. L. 65 cm. P. 46 cm.

(Doc. Etude Ader-Picard-Tajan, Paris)

Petit bureau de dame en placage de bois clair et palissandre. Epoque Charles X. H. 96 cm. L. 84 cm. P. 53 cm.

(Doc. Etude Ader-Picard-Tajan, Paris).

Petit bureau de pente en bois de placage et ornementation de bronzes dorés. Epoque Régence. H. 78 cm. L. 65 cm. P. 46 cm.

(Doc. Etude Couturier-de Nicolay, Paris)

Bureau de pente en bois de placage marqueté. Estampille de Malot. Epoque Louis XV.

(Doc. Etude Osenat, Fontainebleau).

Bureau dos d'âne en bois de placage, marqueterie de bois de bout de branchages fleuris. Estampille de Garnier. Epoque Louis XV.

(Doc. Etude Ader-Picard-Tajan, Paris)

Bonheur-du-jour en bois de placage marqueté de
motifs de fleurs, ornementation de bronzes dorés.
Estampille de L. Boudin. Epoque Louis XV.

(Doc. Etude Couturier-de Nicolay, Paris).

Bonheur-du-jour en placage de bois de violette et
de bois de rose en frisage, ornementation de
bronzes dorés.
Epoque Napoléon III. L. 72 cm. P. 47 cm.

(Doc. Etude Champin-Lombrail, Enghien)

Bonheur-du-jour en acajou et placage d'acajou,
partie du haut de forme demi-lune. Epoque
Louis XVI. H. 117 cm. L. 73,5 cm. P. 46 cm.

(Doc. Etude Ader-Picard-Tajan, Paris).

Bureau cylindre en placage
d'ébène marqueté d'écaille et
de cuivre dans le goût de
Boulle. Epoque Napoléon III.

(Doc. Etude Champin-Lombrail, Enghien).

Bureau à gradin en placage
d'ébène marqueté de filets et
décoré de moulures de bois
clair. Travail du XIXe s. dans le
style néo-gothique ou
Troubadour. H. 120 cm.
L. 130, 5 cm. P. 79 cm.

(Doc. Etude Cornette de Saint-Cyr, Paris).

Bureau en noyer marqueté à décor de
primevères. Travail de Louis Majorelle. Epoque
1900.
H. 110 cm. L. 95 cm. P. 67 cm.

(Doc. Etude Champin-Lombrail, Enghien).

◄ Bureau en bois gainé de parchemin, décor
géométrique dans le goût islamique. Travail de
Carlo Bugatti. Période Art Déco. H. 92 cm.
Plateau : 70 x 50 cm.

(Doc. Mes Offret, Ribault-Ménetière-Lenormand, Paris)

Bureau cylindre en ébène de
Macassar et marqueterie
d'ivoire. Estampille de
J.-E. Ruhlmann. Achevé en
mars 1926. H. 90 cm. L. 100
cm. P. 60 cm.

(Doc. Etude Genin-Griffe-Leseuil, Lyon).

Cabinets

Cabinet en placage d'ébène et d'écaille rouge sur la façade, de palissandre sur les côtés, incrusté de filets d'ivoire, encadré de moulures guillochées, orné de feuilles de cuivre doré repoussées de scènes de chasse et de bacchanales d'après Le Primatice, de frises à rosaces et anges musiciens, de termes, surmonté d'une balustrade sommée de quatre vases fleuris en bronze. France, vers 1660). (Doc. Etude Ader-Picard-Tajan, Paris)

*Cabinet en bois plaqué d'ébène, écaille rouge, filets d'ivoire, bois et cuivre doré.
Orné de panneaux de glaces décoré de guirlandes et vases peints. Piètement
orné de statuettes de nègres portant des vases, pieds boules. XVIIᵉ s.*

(Doc. Etude Ader-Picard-Tajan, Paris)

D'origine hispano-mauresque, le cabinet franchit les Pyrénées au XVIe siècle. C'est tout d'abord une sorte de coffre portatif que l'on pose sur une table ou sur un support, voire sur un siège. Selon la définition du dictionnaire de Trévoux, le cabinet est « un buffet où il y a plusieurs tiroirs et volets pour enfermer les choses les plus précieuses ». La destination première du cabinet est donc de recevoir et de mettre à l'abri les objets de valeur.

Un auteur du XVIIe siècle le décrit ainsi :

Cabinet rempli de richesses,
soit pour roynes soit pour duchesses,
paré de velours cramoisi
de draps d'or et de taffetas
où sont les joyaulx à grandz tas
et les bagues très gracieuses,
pleines de pierres précieuses.

Un meuble de la Renaissance

Non contents d'être des sortes de coffres-forts, les cabinets abritent toutes sortes d'articles et de petits instruments. Cela va des parfums, poudres et cosmétiques jusqu'aux gants, aux miroirs et aux ciseaux. Bref, tout ce qui est de petite taille et ce à quoi l'on tient. Abritant tant de choses précieuses et parfois secrètes, le cabinet va devenir un meuble d'une grande importance sociale. Henri IV, par exemple, à la mort de Gabrielle d'Estrée, aura grand soin de récupérer l'entier contenu du cabinet de sa favorite. Au fil des ans, le cabinet va devenir un meuble luxueux, raffiné, très décoré, mis en évidence dans les plus belles pièces du logis. Pendant longtemps, les cabinets utilisés en France viendront d'Italie, d'Allemagne ou des Flandres. La ville d'Anvers, notamment, en sera le grand centre de fabrication.

L'aspect du cabinet est souvent architectural avec des colonnettes ou des cariatides. Il peut être en bois peint, doublé de tissu précieux. Il est parfois aussi incrusté de nacre, d'ivoire, d'os. Les plus précieux sont ornés de peintures. Pour certains on a utilisé des bois précieux, l'ébène par exemple. Pour rendre la fabrication moins onéreuse, on a donc coupé ce bois en lamelles pour le coller sur des bâtis en bois plus commun. C'est sur les cabinets, sans doute, que la marqueterie a été employée pour la première fois, grâce aux artisans flamands installés dans les galeries du Louvre.

Sa grande vogue au XVIIe siècle

Durant tout le règne de Louis XIV, le cabinet va être à l'honneur et servira de prétexte aux artistes et aux artisans pour exercer leur talent. Ce meuble, étranger à l'origine, inspirera bientôt les artisans français qui rivaliseront de goût pour produire de véritables chefs d'œuvre. Les souverains et les grands seigneurs en possèdent de fort somptueux et en offrent aux personnes qu'ils veulent honorer. Dans ce XVIIe siècle, époque du cabinet par excellence, on en trouvera partout. Ils envahiront Paris et la province, châteaux et demeures bourgeoises. Ils sont à cette époque si répandus qu'un règlement de police stipule qu'ils doivent être désinfectés en cas d'épidémie.

Au XVIIIe siècle, le cabinet va peu à peu passer de mode, sauf les cabinets en laque d'extrême-orient qui devront leur succès à l'essor de la Compagnie des Indes et au goût des chinoiseries.

Les ébénistes de la deuxième moitié du XIXe siècle, séduits par la beauté et la complexité de ce meuble, en feront quelques somptueuses copies avant que, faute d'usage, il ne disparaisse du mobilier moderne et contemporain.

*Cabinet en bois sculpté, deux portes découvrent de multiples tiroirs et une niche
à décor peint et colonnades, inscrustations et décor de perspectives. Piétement
en bois tourné. Epoque Louis XIII.*

(Doc. Etude Cornette de Saint-Cyr, Paris).

Cabinet en placage d'ébène gravé et sculpté, décor de personnages mythologiques, animaux fabuleux et motifs floraux. 1er moitié du XVIIe s. H. 189 cm. L. 150 cm. P. 55 cm.

(Doc. Etude Couturier-de Nicolay, Paris).

Cabinet en bois décoré d'incrustations de filets en façade et sur les côtés, en façade colonnades masquant une niche et tiroirs "à secret"; piétement à colonnades et arcatures. XVIIᵉ s.

(Doc. Etude Labat. Paris).

Cabinet en bois plaqué d'étain et écaille rouge marqueté d'ébène, encadrement
en amarante et palissandre, deux portes découvrent six tiroirs, grands tiroirs en
ceinture, montant en pilastre ornés de cannelures simulés. Epoque Louis XIV.
L'entablement à cinq pieds gaine, réunis par une base, porte un placage
postérieur. H. 167,5 cm. L. 91 cm. P. 47,5 cm.

(Doc. Etude Cornette de Saint-Cyr, Paris).

Cabinet en palissandre et ébène ouvrant par de nombreux tiroirs, ornés de cabochons en pierres dures. Niche abritant un Evangéliste en bronze doré, XVIIe s.

(Doc. Etude Ader-Picard-Tajan, Paris).

Cabinet en placage d'écaille rouge, ébène et filets d'ivoire. Il ouvre par deux portes, dissimulant douze tiroirs. Piètement également marqueté d'écaille rouge. XVIIIᵉ s.

(Doc. Etude Ader-Picard-Tajan, Paris).

Ancien cabinet en bois naturel abondamment sculpté dans l'esprit de la Renaissance, masques, cariatides, atlantes, rinceaux, rosaces et motifs fleuris. Travail du début du XIXᵉ s.

(Doc. Etude Aguttes-Laurent, Clermont-Ferrand).

Coiffeuses et tables de toilette

Psyché rectangulaire en acajou ouvrant à trois tiroirs en façade ; celui du centre formant écritoire ; elle repose sur un piètement en forme de lyre réuni par des traverses. Dessus de marbre blanc surmonté d'un miroir oblong, octogonal et pivotant. Par Jacob-Desmalter. Début de l'époque Empire.

Coiffeuse légèrement mouvementée en bois plaqué d'acajou mouluré à petits caissons, le dessus à trois abattants dont un foncé de glace, en ceinture une tirette et quatre tiroirs, montants arrondis, pieds fuselés à cannelures, ornements de bronzes dorés à palmettes. Estampille de J.F. Leleu et Papst. Epoque Louis XVI.

(Doc. Etude Ader-Picard-Tajan, Paris)

Toilette vient tout simplement du mot toile, tissu qui recouvre, au XVe et au XVIe siècles, la table sur laquelle on dispose les onguents, les fards et les différents objets utilisés pour les soins du visage et de la chevelure.

Depuis la plus haute antiquité, hommes et femmes ont attaché une grande importance à leur parure et à leur beauté : cosmétiques et parfums existent depuis des millénaires et, très tôt, on prendra soin de fabriquer, dans des matières précieuses, les différents ustensiles de toilette : peignes, épingles, flacons à parfums, coupelles, miroirs, et l'usage se répand d'exposer ces instruments. Ainsi vont naître et se développer les meubles de toilette.

Recouverte, à l'origine d'une simple toile, la table de toilette va se dissimuler, au XVIIe siècle, sous de somptueuses soieries; mais c'est seulement au XVIIIe siècle qu'apparaissent les premiers meubles de beauté. Ils vont prendre une grande importance dans la vie sociale. Lorsque, sous la Régence, l'usage se répand de poudrer sa chevelure, on crée une sorte de table haute, avec un dessus souvent en marbre et un plateau qui se soulève pour découvrir un miroir.

La coiffeuse présente, la plupart du temps, un plateau en trois parties. Celle du centre est équipée d'une glace et les parties latérales cachent des casiers pour recevoir pots et fards.

Le maquillage fait fureur au XVIIIe siècle. Les couleurs utilisées sont fort vives, le rouge surtout si bien que le visage des femmes prend, parfois, l'allure d'un véritable masque. Or l'opération ne se fait pas dans l'intimité ni la discrétion d'un cabinet mais devant un parterre d'admirateurs et d'amis.

Pierre de Nolhac a ainsi décrit la toilette de Madame du Barry : «...Les courtisans arrivaient, prenaient place autour de la table enrubannée, la comtesse répondait aux compliments, écoutait les racontars, riait de son rire d'enfant et quand ses beaux cheveux s'étageaient sur sa tête, elle poudrait son visage puis, avec un petit couteau d'or, elle enlevait soigneusement la poudre».

La coiffeuse du XVIII siècle est un meuble raffiné pour lequel on emploie des essences de bois précieux. Elle est utilisée aussi bien par les femmes que par les hommes. En ce cas, on évite la marqueterie de fleurs et le meuble prend un aspect plus sobre. Les ébénistes du XVIIIe siècle créent des modèles très variés : la coiffeuse prend, par exemple, la forme d'un rognon ou la forme d'un cœur. Elle peut se combiner avec une tablette-écritoire et servir à d'autres usages. Il existe aussi à la même époque, quelques meubles à perruques : ce sont des sortes de petites commodes hautes, proches du chiffonnier avec de grands tiroirs profonds.

Sous l'Empire, la coiffeuse se simplifie et son usage se répand. Elle se compose alors d'une table rectangulaire, plus grande qu'au siècle précédant, avec un dessus de marbre, surmonté d'un miroir ovale ou rectangulaire pouvant s'incliner à volonté. La coiffeuse Empire est en acajou, souvent ornée de bronzes. Sous la Restauration, l'acajou reste en usage, mais le meuble devient plus petit et se dépouille de ses bronzes.

Créée à la fin du règne de Louis XVI, l'athénienne, petit meuble en bronze, soutenu par trois ou quatre pieds, reçoit sous l'Empire une cuvette et une aiguière et se transforme ainsi en lavabo.

La coiffeuse ne disparaît pas complètement avec l'apparition de la salle de bains. Les modèles «Art Déco», notamment ceux de Ruhlmann sont des chefs-d'œuvre de raffinement et d'élégance.

Coiffeuse en placage d'acajou surmontée d'une glace encadrée de colonnes, un tiroir en ceinture, quatre pieds gaines surmontés de sphinges, bronzes dorés, pieds à griffes. Epoque Empire. H. 58 cm. L. 86 cm. P. 61 cm.

(Doc. Etude Boisgirard-de Heeckeren, Paris).

Coiffeuse à caissons de forme mouvementée en bois de placage marqueté en ailes de papillons, le dessus à trois abattants en ceinture quatre tiroirs et une tirette, pieds cambrés. Estampille de Oeben et R.V.L.C. Epoque Louis XV.
(Doc. Etude Ader-Picard-Tajan, Paris).

Petit bidet de voyage en acajou et cuivre. Pieds fuselés à cannelures. Cuvette en métal argenté. Début du XIXe s.
(Doc. Etude Ader-Picard-Tajan, Paris).

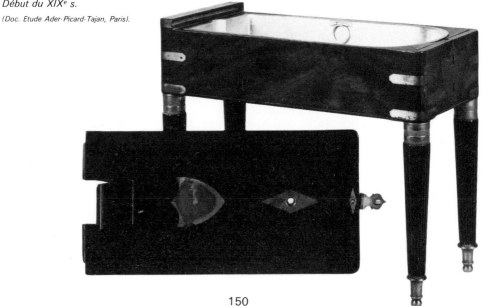

Coiffeuse de forme rognon formant table à écrire en bois de placage marqueté de cubes. Attribuée à R.V.L.C. Epoque Louis XVI. H. 70 cm. L. 96 cm. P. 57 cm.

(Doc. Etude Ader-Picard-Tajan, Paris).

Coiffeuse en merisier massif. Travail de l'Est. Epoque Louis XV. H. 71 cm. L. 84,5 cm. P. 58 cm.

(Doc. Etude Cornette de Saint-Cyr, Paris).

151

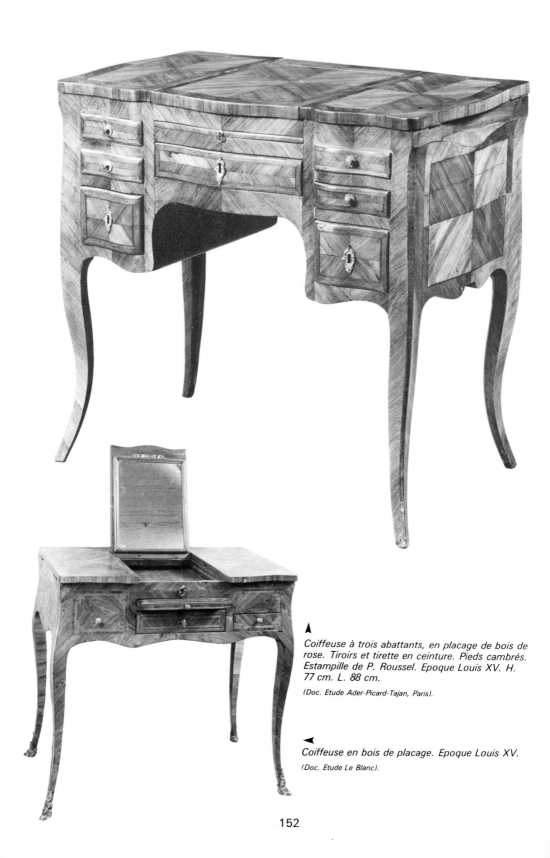

Coiffeuse à trois abattants, en placage de bois de rose. Tiroirs et tirette en ceinture. Pieds cambrés. Estampille de P. Roussel. Epoque Louis XV. H. 77 cm. L. 88 cm.

(Doc. Etude Ader-Picard-Tajan, Paris).

Coiffeuse en bois de placage. Epoque Louis XV.

(Doc. Etude Le Blanc).

152

Coiffeuse à caissons, en bois de placage, marqueté en plumes de paon. Trois abattants, quatre tiroirs, une tirette. Pieds cambrés, ornements de bronze doré. Estampille de L. Boudin, Epoque Louis XV.

(Doc. Etude Ader-Picard-Tajan, Paris).

Coiffeuse en acajou et placage d'acajou, glace basculante. Epoque Empire.

(Doc. Etude Thion, Louviers).

153

Coiffeuse d'homme en bois foncé marqueté de palmettes de bois clair. Epoque Charles X.

(Doc. Etude Martin/Desbenoit).

Petite table de toilette en marqueterie de bois de rose et de violette (réplique fidèle du XVIIIe s). Estampillé G. Dunand. Seconde moitié du XIXe s.

(Doc. Lecoules, Paris).

*Coiffeuse en bois relaqué noir,
piétement plein sur sabots quadrangulaires à
cannelures en bronze argenté sur support fixe,
entrée de serrure et boutons de prise en bronze
argenté. Travail de E.J. Ruhlmann et J. Dunand.
H. 70 cm.*

Doc. Etude Champin-Lombrail, Enghien).

*Table de toilette en bronze patiné vert antico,
tiroir en ceinture, piétement fuseau à cannelures,
plateau rectangulaire en marbre noir. Travail de
A. Rateau. Période Art Déco.*

(Doc. Etude Champin-Lombrail, Enghien).

Coffres et panetières

Coffre en chêne champenois du début du XVIIe s.

Coffre en cerisier originaire du Rouergue.

Meuble très ancien, le coffre est resté longtemps un des éléments essentiels de la vie domestique. Sa longue histoire se confond avec celle des premiers objets possédés par l'homme, et sa présence persistera dans les demeures paysannes jusqu'au XXe siècle.

En Égypte, le coffre tient une grande place dans la vie quotidienne. Il reçoit le linge, les objets de toilette, les provisions et même les jeux. Certains coffres sont compartimentés et leur taille varie suivant l'usage auquel on les destine. Durant toute l'antiquité, le coffre évoluera peu ; toutefois, les Romains utilisent déjà des coffres volumineux, pratiquement fixes, posés sur des supports.

Un meuble qui voyage

Au Moyen Age, le coffre est le meuble indispensable par excellence. La société de l'époque, contrairement à ce que l'on imagine, est très mobile. Les seigneurs se déplacent souvent, emmenant avec eux tous leurs biens. Chaque voyage est en fait un véritable déménagement et, pour transporter le tout, on se sert de coffres de toutes sortes, de toutes tailles et de toutes formes. On y entasse le linge, les provisions, les papiers, les objets précieux mais aussi la literie et le bois du lit lui-même. Le coffre, armoire au logis, devient donc malle lorsque l'on prend la route. Un coffre, dans ces conditions, se doit d'être solide et si possible étanche. Il sera le plus souvent fabriqué en bois dur, en chêne par exemple et muni de robustes ferrures et de poignées.

Itinérant, le coffre va peu à peu se sédentariser. Les premiers coffres sculptés apparaissent dans les églises. On y serre les vêtements liturgiques et les objets précieux. Bientôt, il quitte l'église pour les pièces de réception du château et participe à sa décoration.

On utilise pour sa construction plusieurs essences de bois : les panneaux sculptés sont exécutés en bois tendre et fixés, ensuite, sur un bâti en bois dur. Certains modèles sont somptueusement décorés de cariatides, pilastres, motifs floraux ou feuillagés... Les plus beaux sont ornés de scènes animées, exécutées par de très grands sculpteurs, les mêmes qui travaillent à la décoration des cathédrales.

Dans la France du XVe et du XVIe siècle, se répandent de magnifiques coffres de mariage, offerts à la jeune épousée, garnis de linge et de vêtements. Ils seront sculptés, décorés, peints, incrustés et agrémentés de pentures en fer ciselé.

La plupart des coffres ont des dessus plats qui servent aussi de sièges et de tables. Les plus spacieux font parfois office de lits et la domesticité y couche encore quelquefois au XVIIIe siècle.

L'industrie des «coffriers» ou «coffretiers» sera florissante pendant plusieurs siècles et les coffres feront l'objet d'un important négoce dans toute l'Europe. C'est ainsi qu'au XVe siècle, inquiets de la pénétration des coffres bourguignons particulièrement appréciés, les «coffriers» anglais obtiendront un arrêt interdisant leur importation en Grande-Bretagne.

Du coffre-malle au coffre paysan

Mais au fil des ans, le coffre se démode. Dès la fin du XVIe siècle, il est progressivement supplanté par d'autres meubles plus élaborés et plus appropriés à de nouveaux usages : ce sont les commodes, les buffets, les armoires... Toutefois, les coffres continueront à être utilisés lors des déplacements et au XVIIe siècle encore, les seigneurs n'ont guère d'autres malles. Longtemps, les rois et les princes en offriront à leurs proches et à leurs courtisans, et ceux de la Couronne seront changés à dates fixes. Ainsi un mémoire de l'administration précise, en 1784, que le renouvellement des coffres n'interviendra plus que tous les trois ans au lieu de tous les ans.

Durant tout le XIXe siècle, le coffre reste en usage dans les demeures paysannes. On trouve des maies, coffres à farine d'un usage assez récent, des huches, des coffres à sel etc.

Aujourd'hui, l'ameublement contemporain ignore à peu près complètement le coffre. Il n'a plus sa raison d'être, et a été remplacé par les éléments de rangement.

Coffre en bois naturel à décor sculpté en plis de serviette. XVIe s.
(Doc. Etude Aguttes-Laurent, Clermont-Ferrand).

Coffre en chêne, sculpté de fenestrages, rosaces et orbevoie, panneaux à plis de serviette, serrure à moraillon en fer forgé. Flandres. Epoque gothique. Vers 1480. L. 174 cm. H. 91 cm. P. 71 cm.

(Doc. Etude Ader-Picard-Tajan, Paris).

Coffre de mariage en chêne à panneaux sculptés de statuettes de saints et de saintes. Epoque Renaissance. H. 98 cm. L. 163 cm.

(Doc. Etude Aguttes-Laurent, Clermont-Ferrand).

Coffre en bois sculpté de personnages et animaux fantastiques. En partie du XVIIe s. H. 96 cm. L. 158 cm.

(Doc. Etude Ader-Picard-Tajan, Paris).

Petit coffre en noyer, à moulures décor de bustes de femmes, dessus cerné d'une frise, fin du XVIe s.

(Doc. Etude Ader-Picard-Tajan, Paris).

Coffre de mariage garni d'une tapisserie « à l'œillet" sur ame de bois. Poignées en fer gravé et doré. Piètement en noyer à six colonnes et entretoises torsadées. Auvergne, époque Louis XIII.

(Doc. Etude Ader-Picard-Tajan, Paris).

Banc-coffre provenant de la région de Guérande (Loire-Atlantique). En chêne peint en rouge.

(Musée des Arts et Traditions Populaires, Paris)

*Pétrin en chêne originaire de la région de Neufchâtel-en-Bray (Seine-Maritime).
Fin du XVIIIe siècle.*

(Doc. Musée des Arts et Traditions Populaires, Paris)

*Coffre à vêtements provenant de la région de Briançon (Hautes-Alpes) ; en pin
cembro.*

(Doc. Musée des Arts et Traditions Populaires, Paris)

Coffre à vêtements du Queyras (Hautes-Alpes) ; en pin.

(Doc. Musée des Arts et Traditions Populaires, Paris)

Coffre comtois en noyer ; région de Mouthe (Doubs)

(Musée des Arts et Traditions Populaires, Paris)

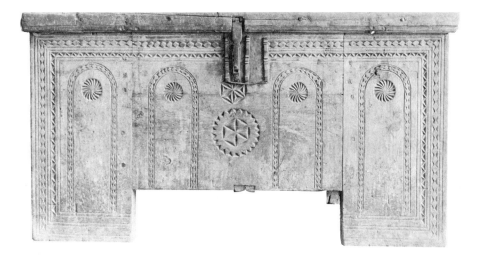

Coffre à vêtements originaire du Queyras ; en pin.

(Doc. Musée des Arts et Traditions Populaires, Paris)

Coffre à vêtements originaire de l'Oisans (Isère)

(Musée des Arts et Traditions Populaires, Paris)

165

*Coffre-banc breton, originaire du pays de Vannes. En bois et cuivre ;
marqueterie typique de la région morbihannaise.*

(Musée des Arts et Traditions Populaires, Paris)

*Panetière provençale en bois naturel
mouluré et sculpté.*

(Doc. Etude Lelièvre-Bailly-Pommery, Chartres).

*Panetière en bois naturel mouluré et sculpté,
décor de fuseaux, pieds escargot.
Provence. XVIIIᵉ s.*

(Doc. Etude Aguttes-Laurent, Clermont-Ferrand).

Commodes et chiffonniers

Commode en bois plaqué d'amarante et d'ébène. De forme rectangulaire, la façade galbée et légèrement concave, à coins arrondis, elle ouvre à quatre rangs de tiroirs. Décoration de filets formant des rosaces, des volutes et des losanges. Entrées, poignées à décor de dauphins, chutes à masques d'indiens en bronze ciselé et verni. Epoque Louis XIV.

(Doc. Etude Couturier-de Nicolay, Paris)

Commode de forme galbée en placage de bois de rose marqueté en feuilles ; elle présente dans des réserves un décor de cubes, ouvre à deux tiroirs sans traverse et repose sur des pieds cambrés ; importante décoration en bronze ciselé et redoré. Epoque Louis XV.

(Doc. Etude Couturier-de Nicolay, Paris)

Une invention de la fin du XVIIe siècle

Un dictionnaire de 1760 donne une amusante définition de la commode : «c'est un meuble d'invention très nouvelle que sa commodité a rendu bien vite très commun». En fait, la commode est née dans les dernières années du XVIIe siècle, inventée, croit-on, par André-Charles Boulle, l'ébéniste de Louis XIV.

C'est par excellence un meuble fonctionnel et utilitaire. A sa naissance on ne sait trop comment appeler ce bâtard issu à la fois du bureau, du coffre, de la table, de l'armoire avec lesquels on le confond souvent avant 1700. Ainsi Berain, créateur d'un meuble voisin de celui de Boulle l'intitule : «grande table, garnie de trois tiroirs dans toute sa longueur». Dans le dictionnaire de Trévoux, la commode est ainsi décrite : «espèce d'armoire en forme de bureau où il y a des tiroirs et des ornements de bronze et qui est propre à serrer du linge». Les premières «caisses à tiroirs», selon un terme de l'époque, sont donc nées de la nécessité d'un rangement rationnel.

Le terme «commode» apparaît sensiblement plus tard, en 1708 dans une correspondance du duc d'Antin. Celui-ci fait état d'une visite chez Guillemart où il a pu admirer deux «commodes» en placage d'écaille et d'étain, en cours d'exécution pour la chambre du roi à Marly.

La commode en tombeau

Ce «coffre allongé» est bas sur pattes, avec des pieds balustres ou en forme de toupies. Il possède trois ou quatre tiroirs.

Peu à peu ses formes vont évoluer : sous la Régence, apparaît la commode «en tombeau» par analogie avec le sarcophage dont elle évoque la forme. Elle est massive, assez lourde, ventrue parfois, les pieds sont courts et le tablier au ras du sol. Très vite, un autre modèle verra le jour, plus léger avec deux tiroirs perchés sur des pieds plus élevés.

Si les bronzes sont importants sur les commodes d'époque Régence : mascarons, masques, bustes, personnages..., c'est moins par souci de la décoration que pour dissimuler les imperfections d'assemblage dues à une technique encore rudimentaire. La commode est coiffée d'un dessus de bois ou de marbre. Ce dernier va se trouver bientôt assorti à celui de la cheminée.

La commode Louis XV

L'époque Louis XV habille la commode en objet d'art et tente de faire oublier son caractère utilitaire. Les formes deviennent plus équilibrées, plus harmonieuses et le galbe plus élégant. Vers 1740 apparaît un important perfectionnement technique : les tiroirs ne reposent plus sur des traverses mais coulissent les uns sur les autres. Ainsi gagne-t-on une surface permettant de réaliser des décors plus vastes et des marqueteries plus raffinées.

La commode Louis XV ne chassera pas pour autant la commode en tombeau et l'on fabriquera ce meuble jusqu'au milieu du XVIIIe siècle et au-delà, puisqu'en 1782, sous le règne le Louis XVI, l'ébéniste Roussel en fabrique toujours. Si les bois employés pour les commodes Régence sont le palissandre et le bois de violette, plus rarement l'amarante fort onéreux, la commode Louis XV sera souvent, à partir de 1731, en bois de rose. L'acajou, débarqué dans les ports de l'Ouest, sera utilisé dans les provinces côtières tandis qu'ailleurs en province on utilisera volontiers les bois du cru : noyer, chêne ou merisier.

La commode, nouveauté sous la Régence, se répand sous Louis XV, dans les intérieurs riches tout au moins, car si l'on en juge par les inventaires de l'époque et par les écrits du marchand Lazare Duvaux, elle demeure un luxe. Elle envahit toutes les pièces : petits salons, boudoirs, chambres, à l'exclusion des pièces d'apparat qui récusent ce meuble utilitaire.

La commode est placée le plus souvent en face de la cheminée dont elle rappelle le marbre. Souvent aussi, surmontée d'un trumeau, on l'installe entre deux fenêtres. Elle est accompagnée, parfois, d'une ou deux encoignures conçues sur le même modèle.

Meuble cher, réservé à l'aristocratie ou à la bourgeoisie, la commode ne pénètre guère chez les gens modestes. Il faudra attendre le milieu du XVIIIe siècle pour qu'elle se répande dans les provinces. La commode

régionale est d'ordinaire en bois massif, assez simple; les bronzes peu nombreux et les poignées sans fioritures.

Quelques variantes sont créées à la même époque : commodes-bureaux et commodes à vantaux, modèles à portes dissimulant des tiroirs.

Vers la fin du règne de Louis XV naissent le chiffonnier et le semainier, meubles étroits et hauts, proches de la commode et destinés au même usage. Le dernier, comme son nom l'indique possède sept tiroirs. De même, trouve-t-on sous Louis XV de toutes petites commodes, appelées demi-commodes qui s'apparentent à de petites tables.

La commode «à la grecque»

La commode change de forme bien avant le règne de Louis XVI. Dès 1753, le marchand Lazare Duvaux nous apprend que Madame de Pompadour lui a commandé trois commodes «à la grecque».

Le ressaut que présente ce meuble pendant la période Transition disparaît peu à peu et la commode Louis XVI revient à plus de simplicité : formes droites, pieds cannelés, façade rectiligne. La commode Louis XVI affecte aussi d'autres formes, en demi-lune, par exemple avec des côtés arrondis et parfois des tiroirs pivotants.

Sous Louis XVI, les bronzes se font plus discrets. La technique a progressé et les assemblages n'ont plus besoin d'être dissimulés. A la même époque, l'essor de la salle à manger va conduire à la création de quelques modèles de commodes-dessertes.

Sous le Directoire, la commode comprend trois ou quatre tiroirs et très peu de bronzes. L'Empire alourdit la commode sans en changer la structure : en acajou, pour les modèles de luxe, c'est un meuble solennel, austère, aux surfaces nues. A partir de 1810, des colonnes placées aux angles viendront apporter un peu de fantaisie à la sévérité impériale.

La commode au XIXe siècle

Peu de changements extérieurs pour la commode tout au long du XIXe siècle : d'abord en bois clair sous Charles X, elle revient aux essences foncées sous Louis-Philippe. Le meuble dont les côtés peuvent être arrondis repose généralement sur des pieds très courts. Certains modèles, même, n'ont pas de pieds du tout. Au fil des ans, la commode va, peu à peu, servir à plusieurs usages : telle commode, par exemple, cache un tiroir-écritoire, telle autre se munit d'un couvercle dissimulant une toilette. A l'époque Louis-Philippe, on commence à travailler mécaniquement et à produire en série. La commode va donc se répandre plus largement et la commode-toilette prendre un essor qui ne se tarira qu'avec la généralisation de l'eau courante.

Avec l'époque Napoléon III, on assiste à une profusion de créations de commodes de style, surtout Louis XVI, parfois d'une très grande qualité, à l'imitation des grands ébénistes des règnes précédents. On imite la marqueterie de Boulle avec de la fausse écaille et l'on garnit certaines commodes de plaques de porcelaine. Seuls modèles typiques, ceux qui sont en carton bouilli, peints en noir, décorés de fleurs polychromes et incrustés de nacre..

L'Art Nouveau et la commode ne font pas bon ménage. Les courbes et les volutes inspirées du règne végétal s'accommodent mal à la finalité de ce meuble. Toutefois Gallé exécutera en 1891 la célèbre commode «aux hortensias».

La commode «Art Déco»

L'Art Déco, au contraire, avec ses formes géométriques et rectilignes d'une grande pureté convient admirablement à ce type de meuble. Les matériaux employés à l'époque sont à la fois raffinés et nouveaux : glace, métaux, bois exotiques, galuchat...

Peu à peu, à l'époque contemporaine, la commode va perdre sa personnalité. On la trouve de plus en plus souvent intégrée dans l'architecture d'une pièce, fondue dans un ensemble destiné au rangement.

Importante commode en marqueterie de cuivre et d'étain sur fond d'ébène. Attribuée à A.-C. Boulle. Fin de l'époque Louis XIV. H. 81 cm. L. 131 cm. P. 64 cm.

(Doc. Etude Couturier-de Nicolay, Paris).

Commode en bois de placage et ornementation de bronzes dorés. Epoque Louis XIV. H. 80 cm L. 110 cm. P. 58 cm.

(Doc. Etude Couturier-de Nicolay. Paris).

Commode en marqueterie de bois de rapport sur fond de frêne à décor de fleurs dans le goût de l'ébéniste Jasmin. Epoque Louis XIV. H. 83 cm. L. 126 cm. P. 65 cm.

(Doc. Etude Couturier-de Nicolay, Paris).

Commode en bois de placage marqueté de masques et motifs fleuris, ornementation de bronzes dorés. Travail de Jasmin. Epoque Louis XIV. H. 82 cm. L. 132 cm. P. 66 cm.

(Doc. Etude Ader-Picard-Tajan, Paris).

Commode de forme arbalète en bois plaqué d'écaille rouge et de cuivre dans le goût de Boulle à décor inspiré des dessins de Berain. Epoque Louis XIV.

(Doc. Etude Couturier-de Nicolay, Paris).

Commode en bois de placage, décor de bronzes dorés à têtes barbues sur les côtés, dessus de marbre brèche. Epoque Régence. H. 86 cm. L. 34 cm. P. 62 cm.

(Doc. Etude Couturier-de Nicolay, Paris).

*Commode en bois naturel mouluré à trois rangs de tiroirs.
Epoque Régence.*

(Doc. Etude Osenat, Fontainebleau).

*Petite commode étroite
à trois rangs de tiroirs
en bois de placage
marqueté. Epoque
Régence. H. 81 cm. L.
81 cm. P. 47 cm.*

(Doc. Etude Ader-Picard-Tajan,
Paris).

Petite commode en bois plaqué d'ébène ouvrant par huit petits tiroirs, ornée de toutes faces de dix panneaux peints de l'Ecole flamande du début du XVIII° s. à sujets mythologiques, dessus de marbre brèche rouge. H. 91 cm. L. 83 cm. P. 48 cm.

(Doc. Etude Ader-Picard-Tajan, Paris).

Commode en placage de palissandre, ornementation de bronzes dorés à poignées sur les côtés pour faciliter les déplacements. Epoque Régence. H. 84 cm. L. 125 cm. P. 61 cm.

Doc. Etude Couturier-de Nicolay, Paris).

175

Commode en bois fruitier mouluré et sculpté. Epoque Régence.
(Doc. Etude Couturier-de Nicolay, Paris).

Commode tombeau en bois de placage à trois rangs de tiroirs, ornementation de bronzes dorés, dessus de marbre brèche. Estampille de J.-C. Ellaume. Epoque Louis XV.

(Doc. Etude Aguttes-Laurent, Clermont-Ferrand).

Commode de forme arbalète en bois naturel mouluré et sculpté, travail provincial. Epoque Louis XV. H. 90 cm. L. 137 cm. P. 70 cm.

(Doc. Etude Ader-Picard-Tajan, Paris).

Commode en bois de placage et marqueterie de cubes en façade et sur les côtés, dessus de marbre brèche rouge. Epoque Louis XV. H. 84 cm. L. 131 cm. P. 63 cm.

(Doc. Etude Ader-Picard-Tajan, Paris).

Commode galbée en bois de placage marqueté de motifs géométriques. Estampille de Hache à Grenoble. Dessus de marbre gris. Epoque Louis XV. H. 86 cm. L. 122 cm. P. 60 cm.

(Doc. Etude Ader-Picard-Tajan, Paris).

Commode en bois de placage et marqueterie, ornementation de bronzes dorés, dessus de marbre. Epoque Louis XV. H. 88,5 cm. L. 78 cm. P. 47 cm.

(Doc. Etude Ader-Picard-Tajan, Paris).

Commode à deux tiroirs sans traverse en bois de placage marqueté, bronzes dorés et dessus de marbre. Epoque Louis XV.

(Doc. Etude Couturier-de Nicolay, Paris).

*Commode à deux tiroirs sans traverse en placage de bois de
rose marqueté de motifs de fleurs. Attribuée à Latz. Epoque
Louis XV. H. 87 cm. L. 131 cm. P. 64 cm.*

(Doc. Etude Couturier-de Nicolay, Paris).

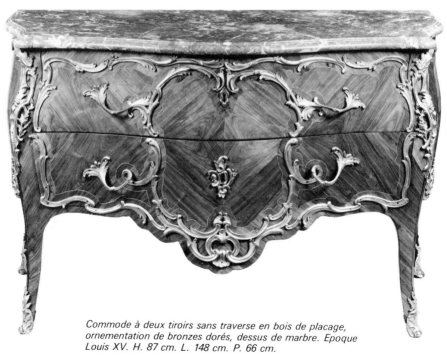

*Commode à deux tiroirs sans traverse en bois de placage,
ornementation de bronzes dorés, dessus de marbre. Epoque
Louis XV. H. 87 cm. L. 148 cm. P. 66 cm.*

(Doc. Etude Couturier-de Nicolay, Paris).

Commode galbée à trois tiroirs à décor en façade
et sur les côtés de chinoiseries d'après Pillement.
Estampille de C. Wolff. Epoque Louis XV. H.
103 cm. L. 130 cm. P. 65 cm.

(Doc. Etude Delorme, Paris).

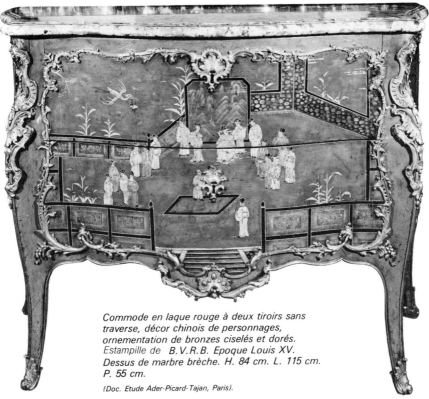

Commode en laque rouge à deux tiroirs sans
traverse, décor chinois de personnages,
ornementation de bronzes ciselés et dorés.
Estampille de B.V.R.B. Epoque Louis XV.
Dessus de marbre brèche. H. 84 cm. L. 115 cm.
P. 55 cm.

(Doc. Etude Ader-Picard-Tajan, Paris).

Petite commode étroite en bois de placage. Estampille de Boudin. Epoque Louis XV. H. 88 cm. L. 61 cm. P. 36 cm

(Doc. Etude Ader-Picard-Tajan, Paris).

Commode en bois de placage marqueté de fleurs.
Estampille de Vié. Epoque Louis XV. H. 82 cm.
L. 76 cm. P. 42 cm.

(Doc. Etude Ader-Picard-Tajan, Paris).

Petite commode à deux tiroirs en bois de
placage, ornementation de bronzes dorés, dessus
de marbre. Estampille de Migeon Epoque
Louis XV. H. 84,5 cm. L. 97.5 cm P. 57,5 cm.

(Doc. Etude Couturier-de Nicolay, Paris).

Commode à trois tiroirs de forme arbalète, pieds cambrés.
Travail rustique. XVIIIe s.

(Doc. Etude Aguttes-Laurent, Clermont-Ferrand).

Commode à trois rangs de tiroirs en bois naturel mouluré et
sculpté. Travail d'Ile-de-France.

(Doc. Etude Osenat, Fontainebleau).

Commode galbée à trois rangs de tiroirs en bois de placage.
Travail dans le goût de Hache. Grenoble. XVIIIᵉ s. H. 82 cm. L.
119 cm. P. 63 cm.

'Doc. Etude Couturier-de Nicolay, Paris).

*Meuble-commode à deux portes en bois naturel.
Travail provincial. XVIIIe s.*

(Doc. Etude Couturier-de Nicolay, Paris).

*Commode en bois naturel sculpté à deux rangs de tiroirs.
XVIIIe s.*

(Doc. Etude Cornette de Saint-Cyr, Paris).

Commode à deux rangs de tiroirs en bois naturel et bois de placage marqueté d'un paysage, d'animaux et instruments de musique. Travail provincial du XVIIIe s. Dessus de marbre gris. H. 80 cm. L. 78 cm.

(Doc. Etude Ader-Picard-Tajan, Paris).

Commode à trois rangs de tiroirs en bois de placage et marqueterie. Estampille de Galet et N. Petit. Epoque Transition Louis XV-Louis XVI. H. 87,5 cm. L. 125 cm. P. 62 cm.

(Doc. Etude Ader-Picard-Tajan, Paris).

Commode à ressaut à trois rangs de tiroirs, trois en
ceinture et deux sans traverse, en placage de satiné et
bronzes dorés. Estampille de Feurstein. Epoque
Transition Louis XV-Louis XVI.

(Doc. Etude Couturier-de Nicolay, Paris).

Commode à ressaut à portes en bois de placage et
marqueterie, ouvre par un rideau découvrant un casier,
ornementation de bronzes dorés. Estampille de Oeben.
Epoque Transition Louis XV-Louis XVI. H. 86 cm. L.
146 cm. P. 52 cm.

(Doc. Etude Ader-Picard-Tajan, Paris).

*Commode à ressaut à trois rangs de tiroirs, trois en
ceinture et deux sans traverse, bois de placage
marqueté d'instruments de musique et motifs
géométriques, riche ornementation de bronzes dorés de
vases néo-classiques et chutes de draperies. Epoque
Transition Louis XV-Louis XVI.*

(Doc. Etude Ader-Picard-Tajan, Paris).

*Commode à ressaut à trois rangs de tiroirs en bois de
placage marqueté de paysages animés de ruines et de
personnages. Estampille de Ohneberg. Epoque
Transition Louis XV-Louis XVI.*

(Doc. Etude Ader-Picard-Tajan, Paris).

Petite commode à ressaut central en bois de placage. Estampille de Rochette. Début de l'époque Transition Louis XV-Louis XVI. H. 86 cm. L. 97,5 cm. P. 57 cm.

(Doc. Etude Ader-Picard-Tajan, Paris).

Commode à ressaut à décor de laque européenne rouge de motifs de chinoiseries, bronzes dorés, dessus de marbre. Epoque Transition Louis XV-Louis XVI.

(Doc. Etude Martin, Versailles).

*Commode à trois rangs de tiroirs en bois de placage
d'acajou marqueté, pieds fuselés, dessus de marbre.
Epoque Louis XVI.*

(Doc. Etude Cornette de Saint-Cyr, Paris).

*Commode à trois rangs de tiroirs en placage de bois
clair et encadrements de bois foncé. Epoque Louis XVI.*

(Doc. Etude Aguttes-Laurent, Clermont-Ferrand).

Commode à portes en acajou à ramages. Estampillée G. Dester. Epoque Louis XVI. H. 91 cm. L. 131 cm. P. 57,5 cm.

(Doc. Etude Ader-Picard-Tajan, Paris).

Commode rectangulaire en placage de satiné. Pieds cannelés, dessus de marbre. Début de l'époque Louis XVI.

(Doc. Etude Chapelle-Perrin-Fromantin, Versailles).

192

Commode demi-lune en bois de rose marqueté au centre d'un médaillon à damier, elle ouvre à trois tiroirs et deux portes latérales, pieds fuselés à cannelures simulées, dessus de marbre brèche. Traces d'estampille d'Avril. Epoque Louis XVI. H. 92 cm. L. 131 cm. P. 55 cm.

(Doc. Etude Laurin-Guilloux-Buffetaud-Tailleur, Paris).

Commode demi-lune en placage d'acajou satiné, pieds cannelés, ornementation de bronzes dorés, dessus de marbre. Estampille de N. Petit. Epoque Louis XVI. H. 95 cm. L. 164 cm. P. 74 cm.

(Doc. Etude Morelle, Paris).

Commode à portes, un tiroir en ceinture, en acajou et bronzes dorés à motifs de Renommées ailées et médaillons. Epoque Empire. H. 91 cm. L. 154 cm.

(Doc. Etude Godeau-Solanet-Audap, Paris).

Commode à trois rangs de tiroirs en acajou, colonnes détachées. Epoque Empire. H. 92 cm. L. 131 cm. P. 61 cm.

(Doc. Etude Massart, L'Iles-Adam).

Commode à portes en placage d'amboine, décoration de bronzes ciselés et dorés. Attribuée à Jacob Desmalter. XIXᵉ s. H. 88 cm. L. 122 cm. P. 62 cm.

(Doc. Etude Couturier-de Nicolay, Paris).

Commode en bois clair à trois rangs de tiroirs incrustée de motifs de bois foncé. Epoque Charles X.

(Doc. Etude Le Blanc, Paris).

Commode en bois de placage et très importante ornementation de bronzes dorés, dessus de marbre brèche, copie des médailliers de Gaudreau. Travail du XIXᵉ s.

(Doc. Etude Ader-Picard-Tajan, Paris).

Commode en bois de placage marqueté au centre d'un vase de fleurs, bronzes dorés, dessus de marbre. Copie d'après un modèle de Riesener. Style Transition Louis XV-Louis XVI.

(Doc. Etude Labat, Paris).

Commode gainée de galuchat à décor de médaillon avec un personnage. Travail de Jules Leleu. Période Art Déco. H. 92 cm. L. 184 cm.

(Doc. Etude Anaf, Lyon).

Meuble à hauteur d'appui en placage d'amboine ouvrant à deux vantaux, chutes et garnitures en argent à décor de femmes et feuillages, dessus de marbre. Epoque Art Nouveau. H. 121 cm. L. 160 cm. P. 45 cm. Adjugé 122 000 F le 22/9/82 à Paris.

(Doc. Etude Pescheteau-Badin, Paris).

Commode en placage de loupe et acajou, ornementation de bronzes ciselés et dorés, modèle de Riesener exécuté par Winckelsen au XIXᵉ s. H. 94,5 cm. L. 137 cm. P. 63,5 cm.

(Doc. Etude Ader-Picard-Tajan, Paris).

Commode en bois de placage marqueté, bronzes dorés et dessus de marbre, d'après un modèle de Leleu. Style Louis XVI. XIXᵉ s. H. 91 cm. L. 92 cm. P. 51 cm.

(Doc. Etude Ader-Picard-Tajan, Paris).

Commode à décor de marqueterie de paysages lacustres et de papillons sur les tiroirs. Travail d'Emile Gallé. Période Art Nouveau.

(Doc. Etude Genin-Griffe-Leseuil, Lyon).

Commode en noyer mouluré et sculpté, décor en marqueterie de paysages et fleurs, sur les montants des épis de blé. Travail d'Emile Gallée. Période Art Nouveau. H. 75 cm. L. 67 cm. P. 50 cm.

(Doc. Etude Boisgirard-de Heeckeren, Paris).

Semainier en placage d'acajou à sept tiroirs.
Epoque Louis XVI.

(Doc. Etude Aguttes-Laurent, Paris).

Chiffonnier en bois de placage marqueté en
feuilles. Epoque Louis XV. Dessus de marbre.

(Doc. Etude Ader-Picard-Tajan, Paris).

Consoles,
desssertes et encoignures

Console en bois sculpté et doré ; la ceinture sinueuse présente au centre une avancée proéminente arrondie ornée d'un cartouche circulaire avec un trophée central dans un entourage de laurier enrubanné et des encadrements de feuilles d'acanthe ; elle repose sur deux pieds composés de griffons ailés, reposant sur des pieds arqués terminés en volutes et ornés de feuilles d'acanthe, réunis par une entretoise cintrée décorée d'une coquille. Attribué à Toro. Epoque Régence.

(Doc. Etude Couturier-de Nicolay, Paris)

Desserte en acajou, la ceinture légèrement arrondie, les côtés de forme convexe, elle repose sur des pilastres qua-drangulaires ornés d'asperges et des pieds fuselés réunis par un plateau. Elle ouvre à un tiroir en façade et deux tiroirs pivotant latéralement ; riche ceinture de bronze ciselé et doré à décor de cannelures et de fleurons. Estampillée A. Weisweiler. Epoque Louis XVI.

La console naît de l'épanouissement d'un pied prolongé par un plateau. Au début, on appelle «pied de console» ce meuble qui tire son nom d'un de ses éléments : le support. Le terme, en effet, vient de l'architecture et désigne une pièce en saillie supportant une corniche, un balcon ou un élément décoratif.

La console existe déjà dans l'Antiquité. En France, à l'époque gothique, des tablettes fixées au mur peuvent être considérées comme la première manifestation de ce meuble.

A la Renaissance, l'usage se répand de consoles appliquées contre le mur. On y dépose des vases, des bronzes, des statuettes. Plus tard, elles recevront les premières pendules.

Au Grand Siècle, la console va connaître un prodigieux développement et changer radicalement de forme. La jambe unique disparaît au profit de deux ou quatre pieds, et ce meuble, jusqu'alors de dimensions modestes, va prendre de l'ampleur et adopter des formes architecturales. Adossé au mur, il n'est visible que sur trois faces, avec une ceinture drès décorée, une entretoise qui disparaît ensuite et une riche ornementation : mascarons, figures féminines, cariatides etc.

Bientôt la console devient un véritable prétexte à une débauche de sculpture. Elle inspire aux ébénistes du XVIIIe siècle des décors d'une virtuosité sans pareille. Elle est placée entre deux fenêtres ou deux portes et fait corps, parfois, avec les boiseries dont elle rappelle les motifs. La console est coiffée d'un marbre et souvent surmontée d'un trumeau ou d'un haut miroir. Avec son riche décor rocaille, exubérant, aux lignes tourmentées, avec son bois doré et son marbre précieux, la console est un des meubles les plus élégants du XVIIIe siècle en même temps qu'un élément majeur du décor. Certaines, même, quitteront le mur pour le centre de la pièce : on les appellera « consoles de milieu ».

Sous Louis XVI, on revient aux lignes droites et à plus de sobriété. Certains modèles, de grande taille, reposent sur huit pieds tandis que d'autres, étroits, figurent des vases fleuris. La dorure est souvent abandonnée au profit de la couleur gris perle.

L'époque Empire fera un grand usage de la console : on en dispose partout. La plupart sont en acajou et les plus raffinées ornées de bronzes. Les pieds adoptent des formes inspirées de l'antique : griffes et pattes d'animaux. La console Charles X se distingue assez peu du modèle Empire, mais est exécutée en bois clair. On reviendra, sous Louis-Philippe, aux bois sombres. A la fin du siècle les consoles-dessertes prennent place dans les salles à manger. Gallé en crée quelques somptueux modèles dont l'un pour sa célèbre salle à manger dite « aux herbes potagères ».

Les décorateurs et ensembliers du XXe siècle ne négligeront pas complètement ce meuble. Ceux de la période Art Déco adopteront des matériaux nouveaux, fer forgé et glace.

L'encoignure naît des tablettes qui, avant le XVIIe siècle, garnissent les angles de la pièce. Cette sorte de petite armoire triangulaire est tout d'abord un meuble utilitaire dans lequel on dissimule, le cas échéant, cuvette et pot à eau. Au XVIIIe siècle, l'encoignure acquiert ses lettres de noblesse. On les fabrique généralement par paire et beaucoup d'entre elles s'harmonisent avec la commode. Rien n'est alors trop beau pour elles, et les plus somptueuses seront en laque de Chine.

Les meubles à hauteur d'appui et les meubles d'entre deux sont proches de l'encoignure : comme elle, ils vont souvent par paire. L'époque Napoléon III en fait grand usage et les plus beaux sont décorés de plaques de porcelaine.

Console formant table à gibier en bois doré et sculpté de coquilles, feuilles d'acanthe volutes et croisillons, dessus de marbre brèche rouge à gorge.
Epoque Régence.
H. 83 cm. L. 144 cm. P. 62,5 cm.
(Doc. Etude Ader-Picard-Tajan, Paris).

203

Console en bois doré et sculpté, décor de coquilles et de volutes. Epoque
Louis XV.

(Doc. Etude Osenat, Fontainebleau).

Importante console en bois sculpté et doré, décor de coquilles, agrafes,
rinceaux, au centre du piétement, vase couvert, dessus de marbre. Epoque
Louis XV.

(Doc. Etude Couturier-de Nicolay, Paris).

Console en acajou garniture de bronzes et dessus de marbre à galerie. Epoque Louis XVI.

(Dc. Etude Couturier-de Nicolay, Paris).

Console à côtés arrondis en bois plaqué d'acajou, pieds cannelés réunis par une tablette de marbre blanc. Estampille de N. Petit. Epoque Louis XVI.

(Doc. Etude Champin-Lombrail, Enghien).

Console en acajou, piétement en sphinges ailées. H. 90 cm. L. 131 cm. P. 53 cm. Epoque Retour d'Egypte

(Doc. Etude Couturier-de Nicolay, Paris).

Paire d'encoignures en acajou, portent la marque au fer du garde-meuble de Marie-Antoinette et celle du château de Trianon. Estampille de Riesener. Epoque Louis XVI. H. 91 cm. L. 55 cm.

(Doc. Etude Couturier-de Nicolay, Paris).

*Meuble à hauteur d'appui en placage de bois noirci et marqueterie
sur fond de corne rouge dans le style de Boulle, dessus de marbre.
Epoque Napoléon III. H. 113 cm. L. 113 cm. P. 41 cm.*

(Doc. Etude Champin-Lombrail, Enghien).

*Console rectangulaire en bois de placage, dessus de
bois peint imitant le marbre, sur la ceinture des plaques
de porcelaine à bouquets de roses. Meuble de Style
Transition, exécuté au XIXᵉ s. H. 97 cm. L. 116 cm.
P. 52 cm.*

(Doc. Etude Ader-Picard-Tajan, Paris).

Desserte en bois de placage et bronzes dorés. Style Louis XVI.
Travail du XIXe s.

(Doc. Etude Osenat, Fontainebleau).

Paire d'encoignures galbées en placage de bois de rose marqueté de
quatrefeuilles et carrés. Estampille de J. Stumpff. Dessus de marbre brèche
d'Alep. XVIIIe s. H. 86 cm. L. 70 cm. P. 40 cm.

(Doc. Etude Champin-Lombrail, Enghien).

Petit meuble à hauteur
d'appui à décor polychrome
de bouquets de fleurs.
XIXe s.

(Doc. Etude Champin-Lombrail,
Enghien).

Meuble d'entre-deux
formant bureau en loupe de
frêne, citronnier et
amarante, dessus de marbre
jaune. Estampille Kolping.
Epoque Charles X.
H. 98 cm. L. 110 cm.
P. 60 cm.

(Doc. Etude Ader-Picard-Tajan, Paris).

Meuble d'entre-deux en bois plaqué d'ébène avec filets de cuivre et incrustations étain trois portes et trois tiroirs, côtés à colonnes détachées et cannelures de cuivre orné en façade de plaques en mosaïque de marbre de couleurs à sujet de fleurs et oiseaux, sur les côtés plaques représentant des personnages. XVIIIᵉ s.

(Doc. Etude Ader-Picard. Paris)

Lits

Lit normand décoré d'attributs symbolisant l'amour.

*Lit en acajou orné de cols de cygne, allégories et rinceaux en bronze doré.
Epoque Empire.*

(Doc. Etude Liber-Castor, Paris)

De la litière au lit

Au commencement était la litière...
D'herbes ou de feuilles sèches, elle est
la première couche de nos ancêtres. En
Égypte, le lit n'est d'abord qu'une construction grossière de bois et de fibres tressées
qui devient au fil des dynasties un meuble
très élaboré dont quelques exemplaires sont
parvenus jusqu'à nous (lit de Tout Ankh
Amon). A cette époque, le lit n'est pas
toujours horizontal, mais souvent plus haut
à la tête qu'au pied. Certains sont très haut
perchés et une marche permet d'y accéder.

Inspiré de l'Égypte, le lit grec est utilisé
non seulement pour dormir mais pour
prendre ses repas allongé. Il devient donc
une pièce importante du mobilier, se composant d'un châssis et de quatre piliers
réunis par des bandes de toile ou par une
claie.

Les romains différencient très vite le lit
pour le sommeil du lit de repas. Ils ne
portent plus le même nom et le dernier, très
spacieux, peut recevoir plusieurs convives.
Les lits grecs et romains sont très ouvragés,
sculptés d'animaux, de palmettes, agrémentés d'incrustations de pierreries ou d'ivoire,
décorés de motifs en bronze et parfois même
enrichis de métaux précieux. Les coussins
sont abondants et quelquefois parfumés.

A l'époque byzantine et au Moyen Age,
il existe plusieurs sortes de lits : certains
modèles sont travaillés au tour avec des
pieds boules et des piliers balustres ; d'autres
sont des sortes de châlits à caisson avec des
panneaux sculptés et quatre supports carrés.
Tous possèdent un ciel tendu d'étoffe et de
courtines que l'on roule autour des piliers
d'où le nom de «lit en quenouille».

Les bois de lits sculptés au Moyen Age et à la Renaissance

Le lit gothique se caractérise par son
élégance. Il occupe une place importante
car la salle à manger et la chambre à coucher
ne sont qu'une seule et même pièce. La
plupart des lits tiennent du grand coffre,
décoré du motif «plis à serviettes». Haut
perché, le lit trône sur une estrade.

La Renaissance renouvelle totalement
la décoration du lit tout en gardant sa
structure. Il est surchargé de tissus, de
broderies, de soieries. Le bois s'orne de
motifs sculptés, parfois extravagants, les su-

jets galants apparaissent tandis que la dimension du lit augmente, le visiteur partageant parfois la couche de son hôte.

Au XVIIe siècle, si l'on reçoit toujours dans la chambre, le lit est rejeté dans une alcôve pourvue de «ruelles» où sont accueillis les visiteurs. On revient à une certaine sévérité dans le décor mais la profusion des soieries et des coussins subsiste. Le lit disparaît sous un manteau de tissu et le bois est presque entièrement dissimulé. On ne dort pas forcément dans un tel lit, sauf dans les grandes occasions, mais plus souvent dans un simple lit «à gésir» placé dans la garde-robe.

Lits à la française, à la polonaise, à la turque...

Sous le Roi Soleil, le lit garde sa housse de tissu : on pense même en ce temps que le bois n'est pas bon pour la santé. Les modèles de lits, à cette époque, se différencient. Si le ciel ou dais est aussi grand que la couche, il est dit «à la duchesse». Si, au contraire, il n'en recouvre que la moitié, il est appelé «lit d'ange». Mais tous deux restent des lits «à la française». Peu connu sous Louis XIII, le lit de repos, qui s'apparente au canapé, se répand alors.

Avec la Régence apparaît le goût pour une certaine intimité. Les lits sont de dimensions plus réduites mais gagnent en fantaisie avec des décors parfois exubérants.

Le règne de Louis XV fait subir au lit des modifications sensibles dans le décor : arabesques, rocailles, coquilles s'étalent partout. Le lit se raffine, s'allège et l'on n'y reçoit plus guère. Débarrassé de ses courtines et de la gangue de tissu des règnes précédents, il se niche dans un rétrécissement à l'extrémité d'une pièce, isolé sur trois de ses côtés. Différents modèles coexistent : «lit à la polonaise» avec un baldaquin porté par une armature métallique, «lit à la turque» aux montants recourbés. Les plus raffinés sont peints de couleurs pastels : bleu, vert, gris, jaune...

Sous Louis XVI, on ne reçoit plus jamais dans la chambre. A la fantaisie du règne précédent succède une grande rigueur de lignes. L'acajou fait son apparition en même temps que les décors néo-classiques et les chevets enroulés. Sous la Révolution et le Directoire, le bois sera sculpté de décors symboliques : faisceaux de licteurs et bonnets phrygiens.

L'Empire et le lit à bateau

L'époque Empire apporte la mode du lit «à bateau». Elle aura un extraordinaire succès et se poursuivra tout au long du XIXe siècle. On trouve également le «lit à la turque» avec des chevets en crosse et le «lit à l'antique» avec un seul montant ou encore le lit à fronton triangulaire encore très Louis XVI. D'autres modèles lourds et majestueux subsistent parallèlement.

La Restauration et l'époque de Charles X apportent peu d'évolutions à la forme du lit mais l'acajou cède la place aux bois blonds : citronnier, érable moucheté... Plus tard dans le siècle et à l'époque de Napoléon III, on reviendra aux bois sombres : poirier noirci et ébène.

«Aube et crépuscule»

L'imagination débordante de Gallé arrive à temps pour renouveler le style du lit avec des thèmes décoratifs tirés de l'histoire naturelle : plantes, fleurs, insectes... Les lignes suivent la même inspiration. Par leurs entrelacs et leur sinuosité, elles s'efforcent de rappeler le foisonnement de la végétation. Avec beaucoup d'audace, Gallé crée un lit «Aube et crépuscule», pailleté de nacre, mosaïqué, orné de sculptures en relief, d'allure symboliste. Parallèlement au lyrisme de Gallé, se développe une production de modèles outranciers à la limite du ridicule.

La réaction se produit dans les dernières années qui précèdent la Grande Guerre. Les motifs végétaux s'abâtardissent et se stylisent. Puis le lit se transforme radicalement : il perd de sa hauteur, il devient plus fonctionnel. Le décor se géométrise et de nouvelles matières font leur apparition : galuchat, laque, vernis, métal, qui annoncent les matériaux utilisés par les créateurs contemporains.

Lit à dais en chêne, ceinture sculptée du motif "pli de serviette". Auvergne. Fin du XVᵉ siècle. H : 250 cm. L : 190 cm. l : 125 cm.

(Musée des Arts Décoratifs, Paris).

Lit pliant en bronze doré et fer, attribué à Boutet de Versailles. Epoque Louis XVI. H : 116 cm, L : 239 cm, l : 120 cm.

(Musée des Arts Décoratifs, Paris).

Lit de repos, à deux côtés inégaux, en bois sculpté et doré, pieds griffes. Epoque Empire.

(Doc. Etude Ader-Picard-Tajan, Paris).

Grand lit à baldaquin en acajou à quatre colonnes fuselées. Epoque Restauration.

(Doc. Etude Oger-Dumont)

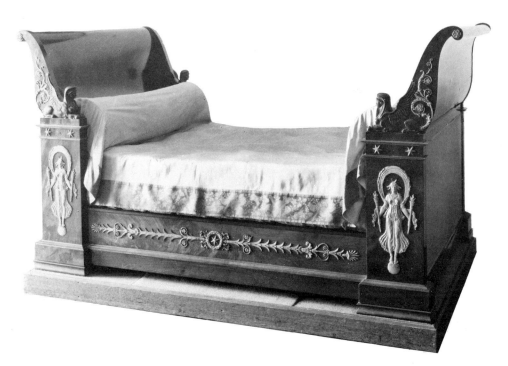

Lit en acajou et bronzes dorés, décor d'étoiles, palmes et palmettes, sphinges à la base de la tête et du pied, allégories et renommées. Epoque Empire.

(Musée des Arts Décoratifs, Paris).

Lit en bois marqueté de vases, cornes d'abondances, volutes et rinceaux. Epoque Charles X.

(Doc. Etude Martin, Versailles).

Lit à baldaquin en placage d'acajou flammé. XIXe s.
(Doc. Etude Cornette de Saint-Cyr).

Lit à décor sculpté "aux clématites". Travail de Louis Majorelle. Art Nouveau.

(Doc. Etude Champin-Lombrail, Enghien).

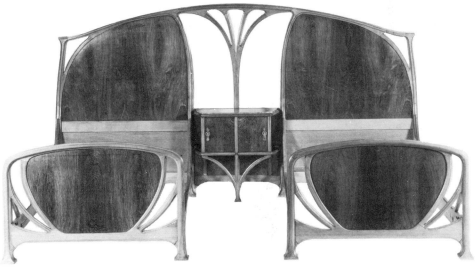

Lit en bois fruitier mouluré et panneaux d'acajou. Travail de Louis Majorelle. Art Nouveau.

(Doc. Etude Champin-Lombrail, Enghien).

Lit en sycomore gainé de galuchat et de filets d'ivoire, peinture laquée crème, piétement sabre se terminant par des sabots en bronze doré. Travail de Maurice et Léon Jallot. Période Art Déco.

(Doc. Etude Laurin-Guilloux-Buffetaud-Tailleur, Paris).

Grand lit laqué noir à décor polychrome de motifs aquatiques. Travail de Dunand.

(Doc. Etude Laurin-Guilloux-Buffetaud-Tailleur, Paris).

Meubles d'appoint

Petite table de salon de forme mouvementée en bois de placage marqueté de branchages fleuris et feuillagés sur toutes les faces. Estampille de Schmitz. Epoque Louis XV.

(Doc. Etude Ader-Picard-Tajan, Paris)

*Table écritoire de forme rectangulaire, en placage de thuya marqueté de filets
d'ébène. Elle repose sur un piètement en X en acier poli surmonté de chapiteaux
en bronze ciselé et doré décoré de palmettes et fleurons. Les pieds sont réunis
par un double balustre en bronze doré et terminé par des petits sabots en
bronze doré ornés de feuillages reposant sur des roulettes. Estampillée
Weisweiller. Epoque Empire.*

(Doc. Etude Couturier-de Nicolay, Paris)

Les petits meubles se développent dès le
début du XVIIIe siècle, lorsque la société
adopte un nouvel art de vivre. On quitte
alors les pièces d'apparat où l'on est en
perpétuelle représentation pour des appartements plus petits, plus intimes, mieux
chauffés, en un mot plus «vivables». Là, on
se réunit entre amis pour lire, bavarder, jouer
aux cartes, écouter ou jouer de la musique,
prendre quelque rafraîchissement...

Aux meubles «meublants», encombrants
et fixes vont donc se substituer, peu à peu,
des meubles «volants» à usages multiples
pour lesquels les ébénistes du XVIIIe siècle,
vont rivaliser d'ingéniosité. Ces petits meubles sont si nombreux et si variés
qu'aujourd'hui encore il arrive qu'on en
découvre des modèles inédits.

Le plus célèbre et le plus sophistiqué des
petits meubles est, sans doute, le meuble
«à la Bourgogne», créé par Oeben pour
Madame de Pompadour. C'est une sorte de
petit chiffonnier ne dépassant pas un mètre
de haut, à quatre tiroirs, dissimulant une
vitrine-bibliothèque, des tiroirs à secret, une
tablette de toilette, un prie-Dieu et un écritoire.

Le petit meuble se doit d'être facile à
déplacer : il peut être muni d'un mécanisme,
parfois se plier, ou se démonter. Il doit
surtout être bien adapté à l'usage que l'on
veut en faire. Le petit meuble du XVIIIe siècle,
futile en apparence, est, au contraire, conçu
rationnellement. C'est un accessoire,certes,
une fantaisie, qui joint l'utile à l'agréable.

L'ébéniste va se doubler, pour les modèle à transformations d'un mécanicien, véritable ingénieur, dont le métier est aussi apprécié à l'époque que celui d'horloger. Les ébénistes allemands s'en feront une spécialité.

Outre les tables à jeux, déjà décrites, il y aura, au XVIIIe siècle, une profusion de petites tables : table à écrire, table-liseuse, table porte-flambeau... Les modèles se multiplient, parfaitement étudiés, permettant d'avoir à portée de la main l'objet désiré : la table d'accouchée, par exemple, se décompose en deux parties : des supports placés de chaque côté du lit et s'y adaptant un plateau mobile à pieds courts, contenant parfois tout ce qui est nécessaire pour faire sa toilette ou griffonner un mot. La table-chiffonnière comprend un grand panier ou un tiroir fourre-tout. La table à ouvrages, avec ses tiroirs de rangement, est parfois agrémentée d'une glace. Elle peut se combiner avec un écritoire et servir ainsi à plusieurs usages.

La table de nuit ou table de chevet est ainsi décrite par Voltaire : «meuble commode que l'on place près d'un lit et sur lequel se placent plusieurs ustensiles». La table rafraîchissoir, doublée de métal, comporte des niches prévues pour loger la glace et garder les bouteilles à bonne température. La table à en-cas permet de prendre le thé ou le café. Le «serviteur muet» qui se répand sous le règne de Louis XVI, vient d'Angleterre. Comportant généralement trois plateaux, il est utilisé comme table d'appoint dans la salle à manger ou dans le boudoir pour une collation intime.

La table «à la Tronchin», du nom d'un célèbre médecin de l'époque, est munie d'un mécanisme permettant d'élever et d'incliner le plateau et d'écrire aussi bien debout qu'assis. Elle était, dit-on, très appréciée des asthmatiques incommodés par la position inclinée qu'exige la table horizontale. Pour le même usage, il existe aussi des meubles-pupitres et des bureaux à écrire debout. On crée également pour les artistes peintres le meuble de miniaturiste ou la table d'aquarelliste dont le dessus s'incline au moyen d'une crémaillère, et pour les musiciens le pupitre à musique ou la table de quatuor.

A l'époque Transition apparaît la table-tambour, et à celle de Louis XVI la table à fleurs dont le plateau est remplacé par des cavités doublées de tôle pouvant recevoir plantes et fleurs : elle prend le nom de jardinière. C'est également vers la fin du règne de Louis XVI que l'on commence à utiliser de petits meubles en bronze à l'imitation des guéridons tripodes de l'antiquité, utilisés lors des cérémonies d'offrandes aux dieux.

A la Révolution, un certain nombre de petits meubles vont franchir les frontières. Ils sont exigus, souvent pliants, parfois démontables ; aussi les émigrés les emporteront-ils, d'autant plus volontiers qu'ils représentent déjà à l'époque une grande valeur marchande. Beaucoup d'entre eux ne sont pas revenus en France, et c'est peut-être une des raisons pour lesquelles les collections anglaises sont particulièrement riches en petits meubles raffinés du XVIIIe siècle français.

Le meuble de voyage mériterait à lui seul un chapitre. Léger, facilement transportable, muni de poignées, il est souvent transformable afin de répondre à des usages variés. Il sert tour à tour de meuble de toilette, de table à écrire, voire de table à en-cas. Sous l'Empire, le meuble dit de campagne accompagne Napoléon et ses maréchaux à travers l'Europe. Il faut des tables pour lire les cartes, des pupitres pour écrire les ordres, des meubles de toutes sortes pour préserver, autant que faire se peut, le confort de l'Empereur et de son état-major. Ce mobilier est souvent en acajou et parfois signé de grands ébénistes.

L'époque Empire, moins futile, voit diminuer l'intérêt pour les meubles à combinaisons. Par contre, la jardinière et la console jardinière sont très répandues ainsi que les guéridons de toutes sortes, aux pieds en forme de pattes d'animaux. La table à volets et la «gate-leg», table permettant d'agrandir le plateau, la seconde munie d'un pied supplémentaire et dépliable.

Il existe encore au XIXe siècle quantité de petits meubles pratiques : la bibliothèque tournante qui permet d'avoir certains livres à portée de main, le coffret serre-bijoux, le meuble à cigares, la cave à liqueurs qui est parfois de bonne taille... L'époque Napoléon III reprend volontiers les modèles Louis XV et Louis XVI.

La révolution «Art Nouveau» apporte un second souffle aux petits meubles. Il faut, à tout prix, sortir des sentiers battus et créer des modèles originaux. Les ébénistes de l'époque, Gallé et Majorelle s'y emploient avec succès : étagères, vitrines, tables à thé, tables gigognes, écrans supportés par des insectes ou portant des décors et des marqueteries inspirés de la nature, jardinières, tables à ouvrages... L'époque crée un nombre impressionnant de modèles et renouvelle l'art du petit meuble.

Le XXe siècle accorde une grande importance à la table basse accompagnant les sièges, eux-mêmes surbaissés. Elle devient un élément important du décor. Les ébénistes des années 20 créent des modèles dans des matières fort précieuses. Aujourd'hui, on utilise aussi des matières premières fort communes : plexiglass, verre, métal, plastique... Le meuble-bar qui prend la suite de la cave à liqueurs du XIXe siècle comprend des casiers à bouteilles et à verres. C'est un meuble que l'on retrouve fréquemment dans les ensembles contemporains de même que des meubles d'audition et d'enregistrement (radio, chaîne haute fidélité, télévision).

Meuble d'appui en ébène de Macassar à une porte, façade marquetée de fleurs en ébène et nacre, pieds fuselés, sabots en bronze doré. Travail de Leleu. 1938.

(Doc. Etude Millon-Jutheau, Paris)

Petit meuble en laque rouge. Travail d'Eugène Printz. Période Art Déco. H : 58 cm. L : 45 cm. P : 55 cm.

(Doc. Etude Binoche, Paris)

Table chiffonnière en bois de placage marqueté.
Epoque Louis XV.

(Doc. Etude Osenat, Fontainebleau)

Petite table en bois de placage marqueté à décor
d'ustensiles. Epoque Louis XV.

(Doc. Etude Ader-Picard-Tajan, Paris)

Petite table en bois de placage marqueté.
Estampille de Plee. Epoque Louis XV.

(Doc. Etude Osenat, Fontainebleau).

225

Petite table en bois de placage marqueté.
Estampille de Criaerd. Epoque Louis XV.

(Doc. Etude Aguttes-Laurent, Clermont-Ferrand)

*Petite table ovale en bois de placage marqueté de
bleuets en sycomore, Estampillée R.V.L.C.
Epoque Louis XV.*

(Doc. Etude Couturier-de Nicolay, Paris)

*Petite table tambour en bois de placage
marqueté. XVIII* siècle.

(Doc. Etude Ader-Picard-Tajan, Paris)

*Petite table à ouvrage en bois de placage
marqueté de motifs floraux. Estampille de
Dusautoy. Epoque Louis XV.*

(Doc. Etude Couturier-de Nicolay, Paris)

*Table en bois de placage marqueté
de paysages.*

Attribuée à Topino.

Transition Louis XV-Louis XVI.

(Doc. Etude Ader-Picard-Tajan, Paris)

Petite table ovale en bois de placage et marqueterie de branchages fleuris.
Estampille de Topino. Transition Louis XV-Louis XVI.

(Doc. Etude Ader-Picard-Tajan, Paris)

Petite table ovale ; marqueté de fleurs sur fond de bois clair, tiroir en ceinture formant écritoire. Estampille de C. Topino. Transition Louis XV-Louis XVI.

(Doc, Etude Ader-Picard, Paris)

Table de salon ovale en bois de rose marqueté d'objets mobiliers et motifs floraux. Estampille de P. Roussel. Epoque Transition Louis XV-Louis XVI.

(Doc. Etude Mercier-Velliet-Thullier, Lille)

Petite table en placage de citronnier et amarante, incrustée d'ébène et d'étain, moulures de cuivre. Fin de l'époque Louis XVI.

(Doc. Etude Ader-Picard-Tajan, Paris)

Guéridon bouillotte en acajou à filets de cuivre, à deux tiroirs et deux tablettes en ceinture, pieds fuselés et cannelés. Fin du XVIIIe siècle.

(Doc. Etude Aguttes-Laurent, Clermont-Ferrand)

Table à la Tronchin à manivelle, en acajou. Epoque Louis XVI.

(Doc. Etude Chapelle-Perrin-Fromantin, Versailles)

Table de salon en placage de satiné, acajou, bois clair et filets d'ébène, bronzes dorés. Estampille de Schmidt. Epoque Louis XVI.

(Doc. Etude Ader-Picard-Tajan, Paris)

Petite table de salon en placage de bois de rose, ouvrant par une tirette et un tiroir latéral formant écritoire. Estampille de J. Manser. Epoque Louis XVI.

(Doc. Etude Ader-Picard-Tajan, Paris)

Table tricoteuse en placage d'acajou flammé. Epoque Louis XVI.

(Doc. Etude Couturier-de Nicolay, Paris)

Petite table ronde en chêne sculpté. Epoque Louis XVI.

(Doc. Etude Machoïr, Semur-en-Auxois)

Table en bois de placage marqueté de carrelage. Estampille de Montigny. Epoque Louis XVI.

(Doc. Etude Ader-Picard-Tajan, Paris.)

Serviteur muet à deux plateaux, galerie de bronze doré et ajouré, base tripode, fûts cannelés. Attribué à Weisweiler. Epoque Louis XVI.

(Doc. Etude Champin-Lombrail, Enghien)

Jardinière en acajou et ornementation de bronzes dorés. Epoque Empire.

(Doc. Etude Couturier-de Nicolay, Paris)

Travailleuse de forme mouvementée en papier mâché laqué noir à décor or et polychrome. Epoque Napoléon III.

(Doc. Etude Champlin-Lombrail, Enghien)

Guéridon basculant en bois laqué noir décoré au centre d'un bouquet polychrome et marqueterie de nacre. Epoque Napoléon III.

(Doc. Etude Champin-Lombrail, Enghien)

Guéridon quadripode orné de bronzes dorés. Travail du XIXe siècle. par S. Wertheimer.

Doc. Etude Cornette de Saint-Cyr, Paris)

*Petite table en bois plaqué d'écaille rouge et de
cuivre dans le goût de Berain. Epoque
Napoléon III.*

(Doc. Etude Ader-Picard-Tajan, Paris)

▲
*Petit guéridon basculant laqué noir à décor
polychrome et incrustations de nacre. Epoque
Napoléon III.*

(Doc. Etude Champin-Lombrail, Enghien)

▶
*Suite de quatre tables gigognes en bois noirci à
décor de scènes de genre ; le plateau de la
seconde table est décoré d'un échiquier. Epoque
Napoléon III.*

(Doc. Etude Champin-Lombrail, Enghien)

◀
*Guéridon basculant en bois laqué noir à décor
peint de bouquets de fleurs et marqueterie de
nacre, piétement tripode. Epoque Napoléon III.*

(Doc. Etude Champin-Lombrail, Enghien)

Paire de tables à thé en bois naturel sculpté et plateaux marquetés d'Emile Gallé. Art Nouveau.

(Doc. Etude Champin-Lombrail, Enghien)

Petite table ovale en bois de placage marqueté. Transition Louis XV-Louis XVI

(Doc. Etude Deurbergue, Paris)

Table à thé en poirier ciré à quatre plateaux amovibles. F. Gaillard. Art Nouveau.

(Doc. Etude Champin-Lombrail, Enghien)

Guéridon en acajou et bronzes dorés à décor de nénuphars de Louis Majorelle. Art Nouveau.

(Doc. Etude Ader-Picard-Tarjan, Paris)

Guéridon octogonal en bois de palmier marqueté de galuchat et d'ivoire. Travail de C. Rousseau. Art Déco.

(Doc. Ader-Picard-Tajan, Paris)

Table travailleuse en bois naturel mouluré et sculpté de Gaudi et Busquets. Art Nouveau.

(Doc. Etude Champin-Lombrail, Enghien)

▲

Petite table à décor de laque de motifs stylisés coquille d'œuf sur fond noir. Jean Dunand. Art Déco.

(Doc. Etude Ader-Picard-Tajan, Paris)

▶

Table de chevet en loupe d'amboine et ivoire, de J.-E. Ruhlmann. Art Déco.

(Doc. Etude Godeau-Solanet-Audap, Paris)

◀

Petite table en bois et parchemin, garnie d'inclusions, de cuivre et d'ivoire dans le style mauresque. Carlo Bugatti. Art Déco.

(Doc. Etude Laurin-Guilloux-Buffetaud-Tailleur, Paris)

Table en laque rouge recouverte sur le plateau de
coquille d'œuf en damier. Jean Dunand. Art Déco.
(Doc. Etude Champin-Lombrail, Enghien)

Petite table basse acier poli et laquée, par Pierre
Chareau. 1883-1950.

Paravent en bois laqué rouge à quatre feuilles, décorées de quatre toiles de Marie Laurencin.

(Doc. Etude Ader-Picard-Tajan, Paris)

*Paravent à quatre feuilles, en laque noire, décor
polychrome et or de fleurs et feuillages. F.L.
Schmitt, Jean Dunand, laqueur. Art Déco.*

(Doc. Etude, Ader-Picard-Tajan, Paris)

Secrétaires

Secrétaire de forme rectangulaire, en placage d'amarante et de citronnier ; il ouvre à un tiroir à la partie supérieure, un abattant et deux vantaux à la partie inférieure ; les angles sont ornés de colonnes détachées à cannelures et asperges surmontées de chapiteaux ioniques ; riche décoration de bronze ciselé et doré. Par Guillaume Benneman. Epoque Louis XVI.

(Doc. Etude Couturier-de Nicolay, Paris)

Secrétaire en bois laqué à fond noir et or, à décor dans le goût chinois de personnages, paysages et pagodes. Il ouvre par un tiroir, un abattant qui dissimule six petits tiroirs et six casiers marquetés de bois de rose et amarante ; à la partie inférieure : un coffre, deux casiers et un secret découvrant un double fond. Montants à pans coupés, petits pieds. Estampille de Hédouin. Epoque Louis XVI. (Doc. Etude Ader-Picard-Tajan, Paris)

Le secrétaire évoque irrésistiblement une activité intellectuelle. C'est en fait un meuble à double usage : il sert à écrire mais aussi à classer les papiers. «On appelle secrétaire, dit le dictionnaire de Trévoux, une espèce de table ou de bureau élevé en forme de pupitre dans lequel sont plusieurs tiroirs fermant à clé où l'on renferme les papiers.»

Le secrétaire, meuble féminin au XVIIIe siècle

Apparu à la fin du XVIIe siècle, le secrétaire va se répandre avec l'essor de la bourgeoisie. Le secrétaire possède trois étages : une partie haute se composant d'un tiroir, une partie médiane fermée par un abattant servant de table à écrire et une partie basse comportant des tiroirs. C'est donc un meuble relativement complexe et fort bien étudié; c'est aussi un meuble féminin. On lui confie le secret de la correspondance : il dissimule aux yeux du monde ce que l'on ne veut ou ne peut montrer.

Le secrétaire de Marie-Antoinette joua un grand rôle dans l'«Affaire du Collier». Il faillit même figurer comme pièce à conviction, puisque c'est de ce meuble que la Reine aurait tiré l'acompte pour l'acquisition du fameux bijou.

Masculin au XIXe siècle

Gracieux, décoratif au XVIIIe siècle où il trône, parfois orné de plaques de porcelaine de Sèvres, dans le boudoir, le secrétaire va devenir sous le Consulat et l'Empire un meuble austère, plus masculin, mais toujours très prisé. Il est le plus souvent en acajou, sévère malgré quelques bronzes et devient un meuble d'affaires. Il quitte alors le salon pour le bureau. Tout au long du XIXe siècle, le secrétaire restera très en vogue. Le XXe siècle ne l'abandonne pas. Les ébénistes Art Déco créeront quelques beaux modèles dans des matières très raffinées et, aujourd'hui encore, on retrouve le secrétaire, intégré dans les ensembles de meubles créés spécialement pour les appartements exigus.

Secrétaire à doucine à abattant, bois de placage marqueté en ''ailes de papillon''. Estampille de J.-B. Gallet. Epoque Louis XV. H. 137 cm. L. 94 cm. P. 42 cm.

(Doc. Etude Ader-Picard-Tajan, Paris).

Secrétaire à doucine en placage de bois de rose. Estampille de Fromageau. Epoque Louis XV. H. 144. L. 92 cm. P. 37 cm.

(Doc. Etude Millon-Jutheau, Paris).

Secrétaire à doucine en bois de placage
et marqueterie, dessus de marbre.
Estampille de Criard. Epoque Louis XV.

(Doc. Etude Ader-Picard-Tajan, Paris).

Secrétaire à doucine en bois de
placage. Epoque Louis XV.

(Doc. Etude Dupuy, Honfleur).

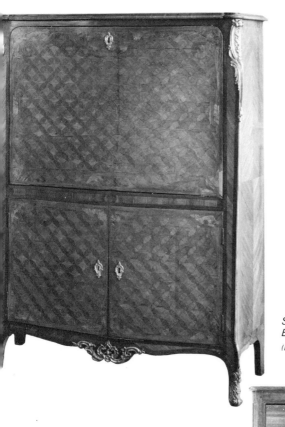

*Secrétaire en bois de placage marqueté.
Estampillé R.V.L.C. Epoque Louis XV.*

(Doc. Etude Labat, Paris).

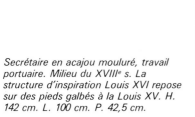

*Secrétaire en acajou mouluré, travail
portuaire. Milieu du XVIIIᵉ s. La
structure d'inspiration Louis XVI repose
sur des pieds galbés à la Louis XV. H.
142 cm. L. 100 cm. P. 42,5 cm.*

(Doc. Etude Ader-Picard-Tajan, Paris).

Petit secrétaire à hauteur d'appui en laque de Chine, galbé sur toutes ses faces, décor or sur fond noir de perdrix et bouquets fleuris, dessus de marbre brun. Epoque Louis XV. Estampille de D. Genty. H. 152,5 cm. L. 95 cm. P. 38,5 cm.

(Doc. Etude Laurin-Guilloux-Buffetaud-Tailleur, Paris).

Secrétaire galbé sur toutes ses faces en bois fruitier, décor de croisillons sur les vantaux. Epoque Louis XV. H. 135 cm. L. 80 cm. P. 39 cm.

(Doc. Etude Couturier-de Nicolay, Paris).

Secrétaire en bois de placage marqueté, sur l'abattant décor aux attributs de la musique, sur les vantaux du bas bouquets fleuris. Epoque Transition Louis XV-Louis XVI.

(Doc. Etude Osenat, Fontainebleau).

Secrétaire à abattant, bois de placage
marqueté, dessus de marbre et
ornements de bronzes dorés. Estampille
de Malle. Epoque Transition Louis XV-
Louis XVI.

(Doc. Etude Cornette de Saint-Cyr, Paris).

Secrétaire en bois de placage et
marqueterie, décor de fleurs, dais et
draperies. Estampille de Baudin. Epoque
Transition Louis XV-Louis XVI.

(Doc. Etude Ader-Picard-Tajan, Paris).

Secrétaire à pans coupés en placage d'acajou, un tiroir à la partie supérieure, un abattant, deux vantaux, dessus de marbre. Epoque Louis XVI. H. 140 cm. L. 78 cm. P. 37 cm.

(Doc. Etude Ader-Picard-Tajan, Paris).

Secrétaire en placage de bois de rose, filets d'encadrement, dessus de marbre veiné gris. Epoque Louis XVI. H. 142 cm. L. 81 cm. P. 31 cm.

(Doc. Etude Ader-Picard-Tajan, Paris).

Secrétaire à pans coupés en placage d'amarante, de bois de rose et de bois des îles, riche ornementation de bronzes dorés, marqueterie de grecques et de motifs fleuris. Travail de J.-F. Oeben pour Marie-Antoinette. Epoque Louis XVI.

(Doc. Etude Ader-Picard-Tajan, Paris).

Petit secrétaire à pans coupés en bois de placage et marqueterie. Epoque Louis XVI.

(Doc. Etude Ader-Picard-Tajan, Paris).

248

Secrétaire à pans coupés en placage de bois de rose dans des encadrements de filets, frises en amarante, un tiroir à la partie supérieure, un abattant et deux vantaux, dessus de marbre rouge des Flandres. Estampille de J.-B. Vassou. Epoque Louis XVI.

(Doc. Etude Labat, Paris).

Secrétaire à pans coupés en bois de placage marqueté en façade et sur les côtés, sur l'abattant des attributs de musique, sur les vantaux de vases néo-classiques, sur les côtés de bouquets de fleurs, dessus de marbre et ornementation de bronzes dorés. Estampille de G. Kemp. Epoque Louis XVI.

(Doc. Etude Laurin-Guilloux, Buffetaud-Tailleur, Paris).

Secrétaire en marqueterie à décor
d'attributs de la musique, fleurs,
marqueterie à la reine, vases néo-
classiques sur les vantaux du bas,
ornementation de bronzes dorés, dessus
de marbre brèche. Estampille de Birckle.
Epoque Louis XVI.

(Doc. Etude Aguttes-Laurent, Clermont-Ferrand).

Secrétaire en placage d'acajou, tiroir à
la partie supérieure, un abattant, deux
vantaux, pieds toupie, dessus de
marbre. Epoque Louis XVI.

(Doc. Etude Osenat, Fontainebleau).

250

Secrétaire en laque verte et or décoré dans le goût chinois, un tiroir dans le haut, un abattant et deux vantaux ; pieds gaine. Estampille de J.-F. Legry. Epoque Louis XVI.

(Doc. Etude Ader-Picard-Tajan, Paris).

Secrétaire en acajou à colonnes détachées en cariatides. Début de l'époque Empire.

(Doc. Etude Couturier-de Nicolay, Paris).

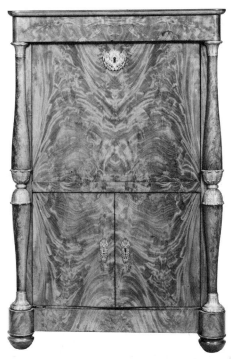

*Secrétaire à colonnes détachées,
pincées en leur centre. Epoque Empire.
H. 146,5 cm. L. 99 cm. P. 45 cm.*

(Doc. Etude Ader-Picard-Tajan, Paris).

*Secrétaire en acajou à colonnes,
ornementation de bronzes dorés.
Epoque Empire.*

(Doc. Etude Massart, L'Isle-Adam).

Secrétaire en acajou ronceux flanqué de
colonnes détachées avec un abattant,
un tiroir et deux vantaux,
ornementation de bronzes dorés
représentant ''La vie de Psyché'',
intérieur à trois arcatures, quatre
colonnettes et douze médaillons à décor
en camaïeu de grisailles dans le goût de
Prud'hon. Epoque Empire.

(Doc. Etude Mercier-Velliet-Thuilier, Lille).

253

Secrétaire en bois plaqué d'acajou, montant surmontés de têtes de sphinges, pieds en griffes, application de bronze en mufles de lions. Epoque Empire. H. 147 cm. L. 105 cm. P. 45,8 cm.

(Doc. Etude Offret, Paris).

Secrétaire étroit en placage de citronnier et encadrements d'acajou, un abattant, partie basse à une porte, partie supérieure simulant un temple. Travail de Jacob. Epoque Empire. Aurait appartenu à Mme Tallien.

(Doc. Etude Laurin-Guilloux-Buffetaud-Tailleur, Paris).

Secrétaire en placage de noyer ronceux.
Vers 1815-1820.

(Doc. Etude Couturier-de Nicolay, paris).

Secrétaire en placage d'acajou
marqueté de citronnier, intérieur plaqué
d'érable. Epoque Charles X. H. 151 cm.
L. 100 cm.

(Doc. Etude Champin-Lombrail, Enghien).

Secrétaire en placage de palissandre marqueté de bois de houx. Epoque Charles X.

(Doc. Etude Couturier-de Nicolay, Paris).

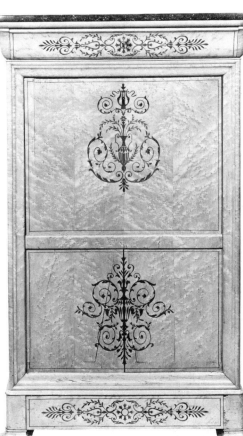

Secrétaire à doucine en érable
moucheté incrusté d'amarante. Epoque
Charles X. H : 151 cm, L : 97 cm, P :
43 cm.

(Doc. Etude Ader-Picard-Tajan, Paris).

Secrétaire en placage de bois clair
marqueté d'amarante. Epoque Charles X,
H : 149 cm, L : 100 cm.

(Doc. Etude Champin-Lombrail, Enghien).

Secrétaire en placage de bois clair et palissandre à décor de rosaces et de lyres, dessus de marbre gris. Epoque Charles X, H : 151,5 cm, L : 98 cm, P :47 cm.

(Doc. Etude Ader-Picard-Tajan, Paris).

Secrétaire en placage de bois de rose et bois de violettes, décor en laque de chinoiseries. Travail de style Louis XVI par Krieger.

(Doc. Etude Ader-Picard-Tajan, Paris).

Secrétaire de style Louis XVI dans le goût de M. Carlin, en marqueterie de bois de rose, sycomore teinté, érable ; ornements de bronze ciselé et doré au mercure. Estampillé A. Beurdeley. Seconde moitié du XIXᵉ s.

(Doc. Lecoules, Paris).

Secrétaire créé par Zwiener, d'inspiration Louis XV ; marqueterie de bois de violette, panneau peint, bronzes ciselés et dorés. Estampillé E. Zwiener. Seconde moitié du XIXe s.

(Doc. Lecoules, Paris).

Secrétaire de style Louis XVI inspiré des modèles de Weisweiler ; acajou de Cuba moucheté ; panneau peint. Estampille de Paul Sormani. Seconde moitié du XIXe s.

(Doc. Lecoules, Paris).

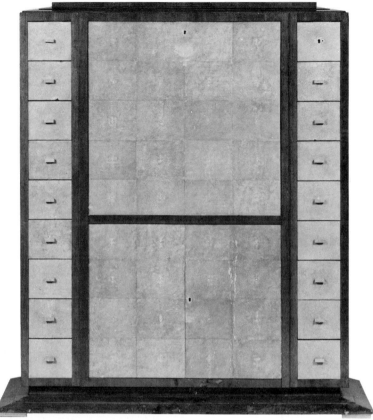

Grand meuble d'appui
formant secrétaire en
palissandre gainé de
galuchat teinté. H : 145
cm. L : 120 cm, P : 36
cm. Travail de
Dominique. Période Art
Déco.

(Doc. Etude Couturier-de
Nicolay, Paris).

Grand secrétaire en
palissandre massif
ouvrant par un abattant
central surmonté d'une
niche ouverte, caissons
latéraux ouvrant chacun
par une porte pleine et
un tiroir, poignées en
entrées de serrures en
bronze doré, dessus
marbre. H : 153 cm,
L : 130 cm, P. 48 cm.
Travail de Louis Sue et
André Mare.

(Doc. Etude Champin-Lombrail,
Enghien).

*Secrétaire en palissandre, filets, entrées de serrures, prises de sabots en ivoire.
Période Art Déco.*

(Doc. Etude Genin-Griffe-Leseuil, Lyon).

Sièges de Louis XIII à Louis XV

Tabouret pliant en bois doré. Pieds X en forme de balustres décorés de fleurons réunis par un tablette. Ils sont garnis en tissu de la Savonnerie à fleurs polychromes sur fond noir. Epoque Louis XIV.

(Doc. Etude Ader-Picard-Tajan, Paris)

Canapé à dossier plat en bois naturel finement sculpté de coquilles et rocailles. Pieds et bras cambrés. Garniture en tapisserie des Gobelins à décor de sujets tirés des Fables de La Fontaine. Epoque Régence.

(Doc. Etude Ader-Picard-Tajan, Paris)

Rarement meuble fut plus influencé par la vie sociale que le siège. De l'Antiquité à la période contemporaine, il a subi des transformations et des diversifications innombrables dont beaucoup n'ont rien à voir avec son usage évident.

Siège et rang social

«Le fauteuil à bras, la chaise, le tabouret... ont été pendant plusieurs siècles d'importants objets de politique et d'illustres sujets de querelles» écrira Voltaire.

Les hommes de l'Antiquité s'accroupissent ou s'asseoient par terre, utilisent des nattes ou des coussins : les sièges sont rares. En Égypte, pourtant, vers la IVe Dynastie, il en existe déjà de plusieurs sortes. Pour les hauts personnages, c'est une sorte de trône à dossier droit, avec des accoudoirs si hauts qu'ils arrivent au niveau des aisselles. Tabourets et bancs, réservés aux gens modestes, sont également en usage.

Chez les Grecs et les Romains, le siège se modifie assez peu : la forme en X permet de le plier et de le déplacer. Le dossier s'arrête, souvent, à mi-dos. D'autres sièges, plus lourds, en pierre ou en bronze, ont des dossiers hauts et droits. A Rome, déjà, la forme du siège annonce l'importance du personnage. Ne s'assied pas qui veut sur le *solium,* sorte de grand fauteuil, non plus que sur la *cathedra,* chaise à haut dossier. Les sièges sont donc déjà révélateurs de l'organisation de la société. Pour se reposer, les romains préfèrent... leur lit!

A Byzance, le siège s'allège tout en restant tributaire de la tradition antique : chaises et tabourets en X tendus de cuir cohabitent avec des fauteuils plus massifs, en bois, dont le dos et les côtés reposent sur des colonnettes.

Le fauldesteuil de Dagobert

Le plus ancien siège français parvenu jusqu'à nous peut être admiré au Cabinet des Médailles à la Bibliothèque Nationale. Ce fauldesteuil, dit de Dagobert, est en laiton. Il est pliant, en forme de chaise curule et rappelle les sièges de l'antiquité. Au haut

Moyen Age, le fauldesteuil, en fer, en bronze ou en bois est d'un usage courant. La hiérarchie sociale est très stricte tout au long du Moyen Age. Le seigneur utilise la chayère, meuble protocolaire à haut dossier, souvent surmontée d'un dais «aux armes». Sa construction est architecturale avec des montants et des accotoirs sculptés.

Le banc

Le banc, siège le plus répandu, est placé devant l'âtre ou à proximité. L'apparition du «dossier tournois» le rend réversible, ce qui permet de prendre ses repas dos au feu et de s'asseoir face au foyer pour mieux se chauffer.

Les bancs sont de plusieurs espèces : la bancelle, étroite et longue, ne possède pas d'accotoirs ; l'archebanc est un banc-coffre et le châlit, sorte de cadre recouvert d'une paillasse sert de couche aux gens du peuple et aux domestiques. Outre les chayères et les bancs, il existe, à la même époque, d'autres sièges comme l'escabelle, formée d'un plateau rond ou triangulaire et de trois ou quatre pieds verticaux, utilisée pour les repas. La selle, fort instable, montée sur trois pieds obliques est le siège le plus en usage. On note, dès le XIVe siècle, des sièges «à coiffer» ou à «atours» avec dossier bas. Enfin, le siège en X continue sa carrière sous le nom de chaise ployante. Les sièges sont alignés contre un mur tendu d'une draperie appelée dorsal, dont l'usage est essentiellement décoratif.

La chaire

Au XVe siècle, la chayère disparaît au profit de la chaire, siège du maître, quel que soit, du reste, le domaine où s'exerce son autorité : le suzerain rend la justice ou donne audience du haut de sa chaire, mais c'est du même siège que le cuisinier surveille ses marmitons, tout comme autrefois la matrone romaine ses esclaves du haut de sa *cathedra*. La chaire, de structure lourde, est stabilisée par un coffre recouvert de coussins. Si la chaire est destinée à un haut personnage, elle est ouvragée, sculptée et monumentale.

Ce n'est que très progressivement que le siège se modifie sous l'influence de la Renaissance italienne. Au début du XVIe siècle, le décor change mais la structure demeure identique. Puis, peu à peu, le coffre disparaît, les côtés s'évident, des colonnes encadrent les panneaux, le siège s'allège. C'est alors qu'apparaît la première esquisse du fauteuil, la chaire à bras.

Sous le règne de Henri II et sous l'influence de Philibert Delorme, le siège s'enrobe de tissu, en particulier de velours. La chaire à bras devient chaise à bras puis chaise. Le terme semble désigner le même meuble, qu'il possède ou non des bras. On crée aussi des modèles de sièges réservés aux femmes : la chaise à femme et la caquetoire permettent aux jupes amples et aux vertugadins (sortes de bourrelets faisant bouffer les robes) de se déployer.

Le banc existe toujours. A ses côtés apparaît le placet, cousin du tabouret. Soutenu par quatre pieds, il est recouvert de tapisserie et concurrence le carreau, coussin qui permet de s'asseoir par terre et dont l'usage se maintiendra jusqu'au XVIIe siècle. Se répandent en outre de nombreux sièges pliants faciles à transporter : fauldesteuil brisé, chaise à tenailles, ployant...

La fin du XVIe siècle conserve les formes de la Renaissance : plans droits, dossiers et éléments verticaux. Le fond du siège est un panneau plein où l'on pose un coussin mobile appelé également carreau.

L'apparition du rembourrage

Une innovation d'importance caractérise le siège du XVIIe siècle : le rembourrage fixe. Il est le plus souvent en crin, recouvert de tapisserie ou de soierie. Sous les règnes de Henri IV et de Louis XIII, deux sortes de fauteuils – le mot fait son apparition vers 1636 – sont en usage : le premier, à dossier assez large, peu élevé, aux lignes verticales, utilisé pour travailler ou pour prendre les repas, l'autre à haut dossier est réservé au repos. Le fauteuil Louis XIII, d'inspiration hispano-flamande, se caractérise par des éléments tournés d'abord en chapelet puis en spirale, par un piètement en H, par une traverse haut placée qui joint les pieds antérieurs et par un rembourrage fixe. Le dossier s'incline légèrement vers l'arrière et les accotoirs s'incurvent. Autre innovation du XVIIe siècle, les sièges dits de «roting» dont les fonds sont tressés de jonc importé d'Extrême-Orient par la Compagnie des Indes.

En chêne ou en noyer, les tabourets et

les escabelles n'ont pas disparu. Avec leurs éléments en bois tourné, ils sont devenus beaucoup plus raffinés.

A la cour et à la ville au siècle de Louis XIV

A la cour de Louis XIV, la hiérarchie est stricte et l'étiquette s'applique aussi à l'usage des sièges. Le roi, seul, a droit au fauteuil ainsi que son petit-fils Philippe V, roi d'Espagne, mais le Grand Dauphin se contente d'une chaise à dos et les sièges des ducs et des princes n'ont point de dossier.

Hors de la cour, le fauteuil poursuit son évolution. Souvent en hêtre ou en noyer, il devient, au fil des ans, plus large et plus profond, moins haut aussi. Bientôt apparaît sur l'accotoir une manchette rembourrée. L'entrejambe est sculpté, les pieds souvent en balustres, les bois sont dorés ou peints de tons vifs. La courbe des accotoirs s'accentue et se termine en volute.

Louis XIV, en guerre contre la Hollande qui commercialise le «roting» en interdit l'importation et les sièges cannés disparaissent. Ils reviendront en force sous la Régence.

Sous le règne du Roi Soleil, apparaissent d'autres sièges exclus des pièces de réception : vers 1673, on trouve le siège de commodité, dit aussi en confessionnal, à cause des oreillettes fixées sur le dossier qui permettent de se dissimuler. Le fauteuil de malade, comme celui de Molière dans *le Malade imaginaire* que l'on peut admirer à la Comédie Française, en est très proche.

Un peu plus tard, vers 1685, le canapé fait une timide entrée. A l'origine, le mot canapé désigne le tissu léger (conopée) qui défend le lit contre les moustiques, puis, le siège né d'un lit à deux chevets auquel on a ajouté un dossier. Deux modèles coexisteront longtemps : le sopha aux joues pleines et le canapé proprement dit flanqué de bras.

Les sièges Louis XIV sont donc relativement peu variés. L'étiquette empêche la prolifération des modèles et le besoin de confort n'apparaît que dans les dernières années du règne. Toutefois, le changement de mœurs s'annonce lorsque naît la distinction entre les sièges «meublants», placés le long du mur qui ne sont là que pour décor, et les sièges «courants», rembourrés, confortables.

La Régence : tout change

Les huit courtes années de la Régence marquent un changement considérable et les sièges sont les premiers meubles à témoigner de cette évolution. L'austérité disparue, remplacée par le goût du confort et du plaisir, on passe définitivement des sièges «meublants» lourds et encombrants que les valets apportent à la demande, aux sièges «courants». Enfin, le siège ne sert plus à marquer le rang de celui qui l'occupe mais tout simplement à se reposer ou à faire la converstion. Il perd alors ses formes rectilignes, le grand dossier carré s'abaisse et s'incurve, les pieds se cambrent, l'entretoise s'affine, puis disparaît. Vers 1720, la mode féminine modifiera quelque peu la forme du fauteuil : il faudra laisser la place aux paniers et les bras du siège s'évasent. Ce siège s'appellera fauteuil à bras reculés. Le cannage revenu, le tissu ne perd pas ses droits, mais un système de fixation mobile du rembourrage permet de changer la garniture au gré des saisons ou de l'humeur.

Les types de sièges de la Régence demeurent sensiblement les mêmes que ceux de la fin du XVIIe siècle : tabourets, pliants, banquettes à huit pieds, canapés, coexistent avec des fauteuils, des chaises, des sièges de commodité et quelques chaises longues.

On joue beaucoup dans les appartements du Régent : ainsi apparaît la voyeuse, siège dont le dossier aplati au sommet est muni d'un rembourrage où l'on peut s'accouder. Elle permet de se tenir debout derrière le joueur et d'observer son jeu. Enfin, la bergère sort des chambres et prend sa place dans les pièces de réception.

Louis XV : nouveaux usages, formes nouvelles

Quelque peu hésitant, tout d'abord, ce nouveau style va s'affirmer sous Louis XV, d'abord avec élégance, ensuite avec exubérance. Les sièges deviennent enveloppants, épousant la forme du corps. Inspiré par l'anatomie mais aussi par la fantaisie, le goût exacerbé des courbes culminera dans le style rocaille.

De nombreux types de sièges apparaissent sous Louis XV : le fauteuil «à la reine», lorsque le dossier est droit, le fauteuil «cabriolet», lorsqu'il est arrondi. La bergère, dérivée du fauteuil «en confessionnal» du siècle précédant est plus basse que le fauteuil, avec des bras pleins et un gros coussin de plumes. Sa cousine la marquise est une bergère permettant à deux personnes de s'asseoir côte à côte. Autour des tables de jeu, à la voyeuse vient s'ajouter la voyelle, uniquement utilisée par les hommes qui, s'y asseyant à califourchon, appuient leurs bras sur un dossier bas et rembourré. Le dossier du fauteuil de toilette ou fauteuil à coiffer est assez bas pour dégager le cou. Le fauteuil à poudrer est échancré pour les mêmes raisons. Le fauteuil de bureau comporte une avancée arrondie, et ses pieds sont disposés en losange. Enfin, la chaise-longue se fait plus rare et se transforme en duchesse «brisée», sorte de chaise-longue en deux parties, parfois même en trois.

Entre la bergère et le canapé, la duchesse «en bateau», très allongée, se termine par un chevet. Les canapés se diversifient à l'extrême. Gondoles ou corbeilles au dos arrondi d'abord, ils affectent d'autres formes : ottomane lorsque les joues sont pleines, veilleuse lorsque les dossiers sont d'un inégal évasement. Le sopha compte sept pieds et la sultane, deux dossiers accolés. Équipée d'un dossier amovible, la sultane devient turquoise. C'est sur ce type de siège que David peindra Madame Récamier, quelques années plus tard.

A l'imitation de l'antique

«Que l'on ne tourmente plus ce qui peut être droit» s'écrie Madame de Pompadour, à la fin du règne de Louis XV. Elle va bientôt être entendue. L'époque Transition corrige l'exubérance du style Louis XV. Les galbes s'assagissent préfigurant le retour au classicisme, et les formes deviennent hybrides : le haut des sièges reste Louis XV tandis que le bas devient Louis XVI.

La mode du décor «à la grecque» se généralise sous Louis XVI et l'on abandonne les lignes courbes au profit des lignes droites suivant ainsi le modèle de l'antiquité. Les sièges reviennent à une certaine sobriété sans sécheresse. Certains dossiers restent «en médaillon», d'autres deviennent carrés ou rectangulaires. Les pieds sont droits, ronds, cannelés ou en gaine. Vers la fin du règne, ils s'inclineront en oblique, puis se recourberont en sabre. Une autre distinction apparaît, sous le règne de Louis XVI, celle des modèles de sièges dans la grande tradition française, le plus souvent en hêtre et des modèles imitant l'antique, en acajou, bois dont la mode vient tout juste d'Angleterre.

La création de sièges spécialisés se poursuit : à la voyeuse et à la voyelle s'ajoutent la ponteuse, puis la fumeuse, siège masculin par excellence. Les fauteuils tournants sont également utilisés. Les dossiers s'ajourent en gerbe ou en lyre. Les bords sont peints de couleurs tendres : lilas, gris, bleu ciel, mais surtout blanc et or.

L'équilibre raffiné des sièges Louis XVI disparaît pendant les dernières années du règne. Les formes néo-classiques triomphent avec les sièges «à l'étrusque», les pieds antérieurs en sabre, les pieds postérieurs, parfois déjà, en forme de pattes d'animaux. Le tabouret, avec piétement en X, revient à la mode. Bientôt les colonnettes et les balustres n'auront plus cours, remplacées par des accotoirs en volute, en forme de buste féminin ou d'animaux. Beaucoup moins de canapés et de bergères : le siège confortable au goût du jour, c'est la méridienne, sorte de chaise-longue, suite de la veilleuse Louis XV aux chevets inégaux. Le style Directoire est déjà en gestation sous Louis XVI.

De la solennité du Consulat et de l'Empire

Sous le Consulat, les modèles de l'Empire sont déjà en place. Les sièges se sont bien alourdis au fil des ans, les dossiers gondoles dérivent du cabriolet, les pieds sont en forme de pattes d'animaux, les lignes calquées sur l'architecture : c'est le triomphe du style pompéien. La dignité est reine et le confort bien oublié. Les sièges deviennent massifs et majestueux, inspirés par l'Antiquité. Les fauteuils d'apparat sont surchargés de décors néo-classiques ou égyptiens, mais l'architecture reste simple. Les sièges courants suivent les mêmes influences : si les motifs ornementaux sont plus modestes, la construction est identique. L'acajou, malgré le blocus, reste fort recherché. Il servira aux sièges de qualité tandis que, pour les modèles plus simples, on utilisera les bois de pays : hêtre, érable, noyer, chêne surtout, enfin, une nouveauté : la loupe d'orme. Le siège Empire est parfois doré, parfois même argenté comme ceux du Salon d'Argent à l'Elysée.

Le confort bourgeois

Les fastes de l'Empire évanouis, on revient à une certaine simplicité. La Restauration n'apporte pas de modifications sensibles aux sièges, elle se contente de les alléger. La mode est plutôt bon enfant, avec peu de modèles. Les sièges en gondole prédominent, très appréciés des femmes, mais l'on trouve, parallèlement, des modèles avec dossiers droits ajourés en croisillons.

Le siège, dans l'ensemble, s'arrondit, devient à nouveau plus accueillant, épousant les formes du corps. C'est à cette époque que le fauteuil se démocratise, les progrès techniques permettant de faire plus, plus vite et à meilleur coût. Bientôt la mode des bois blonds sera introduite par la jeune duchesse de Berry, notamment l'érable moucheté et le citronnier. Les décors deviennent plus légers, les incrustations remplacent les motifs en bronze.

D'un tout autre esprit, procède à la même époque le style «à la Cathédrale» où les sièges imitent les fenestrages gothiques de l'époque médiévale. Se maintiennent également sous la Restauration des chaises et des fauteuils curules.

L'époque de Louis-Philippe alourdit le siège sans le modifier véritablement. Cossus et simples, les sièges Louis-Philippe sont souvent en acajou. Quelques modèles néo-gothiques subsistent. On trouve encore, dans les intérieurs bourgeois, à côté des fauteuils en X, toujours en faveur, un nouveau venu : le fauteuil «Voltaire», à haut dossier, souvent monté sur roulettes.

Les sièges capitonnés

Les sièges capitonnés font leur apparition au milieu du XIXe siècle avec le fauteuil «crapaud», bas sur pattes. L'époque de Napoléon III consacre cette mode. C'est le triomphe du tapissier à travers une profusion de sièges : poufs, chauffeuses, chaises basses, confidents à deux places, indiscrets à trois places, canapés de l'amitié, couronnes (sièges circulaires qui entourent une jardinière)...

Sous l'influence de l'impératrice Eugénie qui vénère le souvenir de Marie-Antoinette, se développe une importante production de sièges de style. Ces copies ne sont jamais serviles : on interprète, on pastiche...

Quelques sièges originaux voient le jour à la même époque : fauteuils et chaises en poirier noirci ou en carton bouilli, incrustés de nacre ou d'écaille. Les dernières années du règne de Napoléon III et les dix ans qui suivent n'apportent aucune nouveauté.

1900-1925 : de la fantaisie à la raison

Avec la révolution artistique de la fin du XIXe siècle, s'ébauche un style radicalement différent. Le fauteuil «Art Nouveau» s'inspire directement de la nature : fleurs, plantes, fruits, minéraux, insectes... Mais ce n'est pas la plante ou la fleur qui orne le siège mais celui-ci, tout entier, qui rappelle l'objet qu'il évoque. D'où ces chaises «à l'ombellifère» ou ces fauteuils «à la gerbe de blé». Ainsi les artisans de l'époque, Gallé en tête, vont créer des sièges d'une exubérante fantaisie rappelant par leurs lignes le foisonnement de la végétation. Beaucoup de ces sièges sont en bois frutiers, simplement cirés. Mais bientôt l'Art Nouveau tombe dans des excès qui appellent la réaction : «Les vermicelles et les pseudo-varechs» sont dénoncés par Gallé lui-même.

«L'art 1900 fut du domaine de la fantaisie, l'art 1925 est du domaine de la raison», explique Maurice Dufrêne, décorateur de l'époque. Il faut maintenant des sièges fonctionnels et sobres. Simplification, géométrisation, dépouillement caractérisent les sièges «Art Déco». Certains types de sièges demeurent toutefois très raffinés :

équilibre des formes, bois précieux, applications d'ivoire...

Bientôt les progrès de la technique et le style de vie décontracté vont conduire au siège contemporain. Celui-ci est souvent fait d'une seule pièce, dossier et fond se prolongeant. Ces matières premières nouvelles sont utilisées : plastiques, matériaux gonflables, tubes d'acier. Les formes sont simples, presque dépouillées et le siège est étudié scientifiquement pour épouser les formes du corps humain et mieux assurer son confort.

Caquetoire en noyer. Vers 1550-1560.

(Doc. Musée des Arts Décoratifs, Paris)

Chayère en noyer, accotoirs sculptés en têtes de béliers. Travail du Val de Loire. XVIe s.

(Doc. Etude Ader-Picard-Tajan, Paris)

Fauteuil en bois naturel sculpté, siège et dossier à garniture de tissu. Epoque Henri IV.

(Doc. Etude Cornette de Saint-Cyr, Paris)

Fauteuil en bois naturel tourné et sculpté. Epoque Louis XIII.

(Doc. Etude Aguttes-Laurent, Clermont-Ferrand)

Chaise à bras d'apparat en noyer incrusté de plaques de bois noirci imitant le marbre. Travail lyonnais. Vers 1550-1560.

(Doc. Etude Ader-Picard-Tajan, Paris)

Ployant en bois sculpté et redoré ; pieds en X en balustres nervurés. Epoque Louis XIV.

(Doc. Etude Ader-Picard-Tajan, Paris)

Tabouret bas ; pieds en noyer taillé en ''os de mouton'' sculpté de volutes. Epoque Louis XIV.

(Doc. Etude Ader-Picard-Tajan, Paris)

Fauteuil d'apparat en bois recouvert d'un riche tissu brodé. Début du XVIIIe.

(Doc. Etude Aguttes-Laurent, Clermont-Ferrand)

Fauteuil à haut dossier en bois sculpté et doré. Epoque Louis XIV.

(Doc. Etude Loudmer-Poulain, Paris)

Fauteuil, bois sculpté et doré. Epoque Louis XIV. Garniture de tapisserie du début du XVIIIe s. à décor des fables de La Fontaine.

(Doc. Etude Couturier-de Nicolay, Paris)

Fauteuil à dossier plat, incliné, bois naturel sculpté, entretoise en H. Epoque Louis XIV.

(Doc. Etude Osenat, Fontainebleau)

Fauteuil en bois naturel sculpté de coquilles, rosaces et feuilles d'acanthe. Fin de l'époque Louis XIV.

(Doc. Etude Ader-Picard-Tajan, Paris)

Fauteuil à haut dossier incliné, bois sculpté, extrémités des accotoirs en volutes, piétement en X. XVIIe s.

(Doc. Etude Ader-Picard-Tajan, Paris)

Fauteuil d'apparat en bois sculpté, décor de coquille et rinceaux à la ceinture. Fin de l'époque Louis XIV.

(Doc. Etude Couturier-de Nicolay, Paris)

Fauteuil de bureau sculpté de coquilles et feuilles d'acanthe, garniture de cuir. Fin de l'époque Louis XIV.

(Doc. Etude Ader-Picard-Tajan, Paris)

Chaise en bois naturel sculpté de coquilles et feuilles d'acanthe, dossier et sièges cannés. Epoque Régence.

(Doc. Etude Ader-Picard-Tajan, Paris)

Fauteuil à dossier plat garni, en bois naturel sculpté. Epoque Régence.

(Doc. Etude Cornette de Saint-Cyr, Paris)

Fauteuil en bois naturel sculpté, garniture de
tapisserie. Début du XVIIIe s.

(Doc. Etude Couturier-de Nicolay, Paris)

Fauteuil à haut dossier plat en bois naturel
sculpté. Epoque Régence. Garniture de tapisserie
des Gobelins.

(Doc. Etude Ader-Picard-Tajan, Paris)

Fauteuil de bureau en bois naturel sculpté,
dossier canné. Epoque Régence.

(Doc. Etude Ader-Picard-Tajan, Paris)

Paire de fauteuils en bois naturel sculpté.
Estampille de Gourdin père. Epoque Régence.

(Doc. Etude Massart, l'Isle-Adam)

Canapé en bois naturel sculpté. Epoque Régence.

(Doc. Etude Osenat, Fontainebleau)

Canapé en bois laqué gris sculpté de feuillages et de fleurettes, garniture en soie cerise. Epoque Régence.

(Doc. Etude Champin-Lombrail, Enghien)

Tabouret en bois naturel sculpté. Vers 1725-1750.

(Doc. Musée des Arts Décoratifs, Paris)

Chaise en bois naturel mouluré et sculpté. Estampille de Meunier. Epoque Louis XV.

(Doc. Etude Aguttes-Laurent, Clermont-Ferrand)

Chaise de salle à manger à haut dossier plat, bois naturel sculpté. Epoque Louis XV. Garniture de cuir.

(Doc. Etude Martin-Desbenoit, Versailles)

Chaise cannée en bois naturel sculpté. Epoque Louis XV.

(Doc. Etude Aguttes-Laurent, Clermont-Ferrand)

Grand fauteuil en bois doré et sculpté, garniture de tapisserie d'Aubusson du XVIIIᵉ s. Epoque Louis XV.

(Doc. Etude Couturier-de Nicolay, Paris)

Fauteuil à châssis en bois mouluré sculpté et doré. Attribué à Heurtaut. Epoque Louis XV. Garniture de velours bleu.

(Doc. Etude Ader-Picard-Tajan, Paris)

Fauteuil à dossier cabriolet, bois naturel sculpté. Estampille de Nogaret. Epoque Louis XV.

(Doc. Etude Couturier-de Nicolay, Paris)

Fauteuil à dossier plat en bois sculpté, garniture de tapisserie. Estampille de Lelarge. Epoque Louis XV.

(Doc. Etude Langlade, Paris)

Fauteuil de bureau à six pieds en bois naturel sculpté, garniture de cuir. Estampille de Meunier. Epoque Louis XV.

(Doc. Etude Champin-Lombrail, Enghien)

Fauteuil canné en bois naturel sculpté de fleurettes. Epoque Louis XV.

(Doc. Etude guérin, Saint-Dié)

Fauteuil canné en hêtre sculpté, fauteuil dit à coiffer, manchettes en cuir. Milieu du XVIIIᵉ s.

(Doc. Musée des Arts Décoratifs, Paris)

Marquise en bois sculpté et peint. Estampille de Tilliard. Epoque Louis XV.

(Doc. Etude Dupuy, Honfleur)

Chaise longue en bois naturel sculpté de fleurs et de feuillages.
Epoque Louis XV.

(Doc. Etude Griffe-Genin-Leseuil, Lyon)

Canapé en bois sculpté de fleurettes. Epoque Louis XV.
(Doc. Etude Guillaumot-Albrand, Lyon)

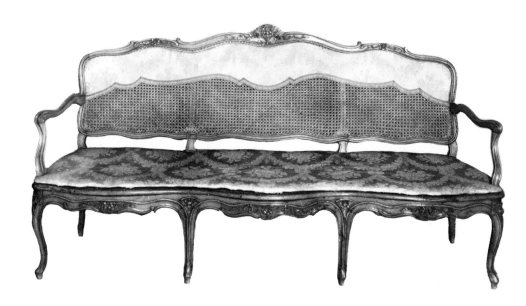

Canapé en bois naturel sculpté, dossier et siège cannés. Epoque Louis XV.
(Doc. Etude Guillaumot-Albrand, Lyon)

Sièges de Louis XVI à Modern style

Fauteuil de forme gondole en placage d'érable moucheté rehaussé de palissandre. Epoque Charles X.

Fauteuils à dossier médaillon en bois doré, mouluré et sculpté de tors de rubans, la ceinture antérieure légèrement galbée repose sur des pieds fuselés à cannelure torsadée. Estampillés Delanois. Epoque Louis XVI.

(Doc. Etude Couturier-de Nicolay, Paris)

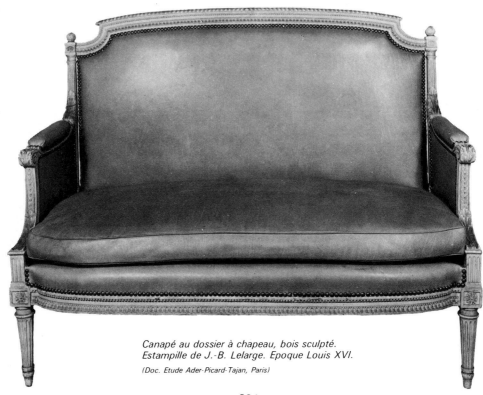

Canapé au dossier à chapeau, bois sculpté.
Estampille de J.-B. Lelarge. Epoque Louis XVI.

(Doc. Etude Ader-Picard-Tajan, Paris)

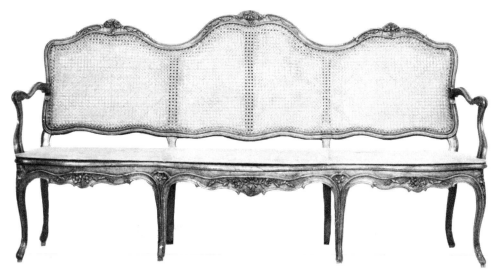

Canapé en bois naturel sculpté, siège et dossier cannés. XVIIIᵉ s. Attribué à Nogaret.

(Doc. Etude Osenat, Fontainebleau)

Chaise de chantre en chêne sculpté. Epoque Louis XVI.

(Doc. Musée des Arts Décoratifs, Paris)

Chaise à dossier cabriolet, pieds cannelés. Estampille de A. Gaillard. Epoque Louis XVI.

(Doc. Etude Labat, Paris)

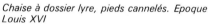

Chaise à dossier lyre, pieds cannelés. Epoque Louis XVI

(Doc. Etude Labat, Paris)

Chaise à dossier plat écusson en bois moduluré, sculpté et peint. Estampille de G. Jacob. Epoque Louis XVI.

(Doc. Etude Ader-Picard-Tajan, Paris)

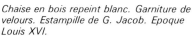

Chaise en bois repeint blanc. Garniture de velours. Estampille de G. Jacob. Epoque Louis XVI.

(Doc. Etude Ader-Picard-Tajan, Paris)

Chaise ponteuse. Estampille de Lebon. Epoque Louis XVI.

(Doc. Etude Chapelle-Perrin-Fromantin, Versailles)

Fauteuil à dossier chapeau, bois mouluré et repeint. Garniture d'ancienne tapisserie à sujets des fables de La Fontaine. Epoque Louis XVI.

(Doc. Etude Ader-Picard-Tajan, Paris)

Chaise en bois relaqué crème, pieds fuselés à cannelures réunies par des entretoises. Estampille de Dupain. Epoque Louis XVI.

(Doc. Etude Ader-Picard-Tajan, Paris)

Chaise en bois doré et sculpté, marque du château de Saint-Leu. Epoque Louis XVI.

(Doc. Etude Champin-Lombrail, Enghien)

Fauteuil à dossier plat en bois laqué gris, pieds à spirales. Estampille de Jacob. Epoque Louis XVI.

(Doc. Etude Genin-Griffe-Leseuil, Lyon)

Fauteuil en bois doré et sculpté. Estampille de Chevigny. Epoque Louis XVI.

(Doc. Etude Couturier-de Nicolay, Paris)

Fauteuil en bois sculpté et doré. Estampille de Séné. Epoque Louis XVI.

(Doc. Etude Ader-Picard-Tajan, Paris)

Fauteuil à dossier médaillon en bois sculpté et doré. Estampille de Lelarge. Epoque Louis XVI.

(Doc. Etude Ader-Picard-Tajan, Paris)

Fauteuil en noyer doré exécuté par Georges Jacob pour le Salon des Jeux du Roi à Saint-Cloud en 1787. Epoque Louis XVI.

(Doc. Etude Ader-Picard-Tajan, Paris)

Fauteuil en bois sculpté peint et rechampi. Estampille de Jacob. Epoque Louis XVI.

(Doc. Etude Cornette de Saint-Cyr, Paris)

Fauteuil à dossier droit en bois repeint crème et sculpté à l'imitation du bambou et rechampi vert eau. Estampille de G. Jacob. Epoque Louis XVI.

(Doc. Etude Couturier-de Nicolay, Paris)

Fauteuil à dossier médaillon en cabriolet. Epoque Louis XVI.

(Doc. Etude Champin-Lombrail. Enghien)

Fauteuil à dossier médaillon à la Reine en bois naturel sculpté. Estampille de J.-B. Lelarge. Epoque Louis XVI.

(Doc. Etude Aguttes-Laurent, Clermont-Ferrand)

*Fauteuil d'apparat en bois doré et sculpté. Estampille de Poirié.
Epoque Louis XVI.*

(Doc. Etude Cornette de Saint-Cyr, Paris)

Fauteuil à châssis en bois relaqué gris. Travail du Midi. Milieu du XVIIIᵉ s.

(Doc. Etude Jozon-Rabourdin-Choppin de Janvry)

Fauteuil à dossier médaillon à la Reine, bois laqué blanc. Epoque Louis XVI.

(Doc. Etude Aguttes-Laurent, Clermont-Ferrand)

Fauteuil à dossier médaillon et plat, bois mouluré, pieds cannelés. Estampille de J.-B. Lelarge. Epoque Louis XVI.

(Doc. Etude Aguttes-Laurent, Clermont-Ferrand)

Marquise en bois doré et sculpté. Estampille de Georges Jacob. Epoque Louis XVI.

(Doc. Etude Couturier-de Nicolay, Paris)

Fauteuil à dossier médaillon en bois repeint vert et crème. Estampille de Poirier. Epoque Louis XVI.

(Doc. Etude Ader-Picard-Tajan, Paris)

Bergère en bois sculpté et doré. Estampille de Georges Jacob. Epoque Louis XVI.

(Doc. Etude Couturier-de Nicolay, Paris)

Marquise en bois laqué. Epoque Louis XVI.

(Doc. Etude Couturier-de Nicolay, Paris)

Canapé provenant du boudoir turc de Marie-
Antoinette. Epoque Louis XVI.

(Doc. Musée des Arts Décoratifs, Paris)

Bergère en bois sculpté, pieds cannelés. Epoque
Louis XVI.

(Doc. Etude Ader-Picard-Tajan, Paris)

Tabouret de clavecin reposant sur un fût tripode.
Estampille de Lelarge. Epoque Louis XVI.

(Doc. Etude Ader-Picard-Tajan, Paris)

*Canapé à dossier plat en bois laqué gris.
Estampille de G. Jacob. Epoque Louis XVI.*

(Doc. Etude Griffe-Genin-Leseuil, Lyon)

*Fauteuil en bois peint et sculpté, dossier orné
d'un vase néoclassique.*

(Doc. Etude Etude Aguttes-Laurent, Clermont-Ferrand)

*Canapé à double évolution en bois rechampi gris. Estampille de Pluvinet.
Epoque Louis XVI.*

(Doc. Etude Ader-Picard-Tajan, Paris)

*Fauteuil en acajou, dossier étroit. Estampille de
G. Jacob. Fin du XVIIIe s.*

(Doc. Etude Laurin-Guilloux-Buffetaud-Tailleur, Paris)

Chaise en bois naturel, dossier renversé à décor
de palmette. Epoque Directoire.

(Doc. Etude Ader-Picard-Tajan, Paris)

Petite marquise en acajou. Epoque Directoire.

(Doc. Etude Ségeron, Saumur)

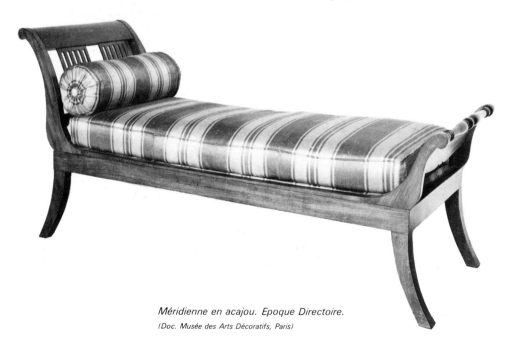

Méridienne en acajou. Epoque Directoire.

(Doc. Musée des Arts Décoratifs, Paris)

Banquette en acajou, accotoirs à cols de cygne, pieds en sabre terminés par des pattes de lion. Epoque Directoire.

(Doc. Etude Rheims-Laurin, Paris)

Fauteuil à dossier gondole en acajou et placage d'acajou. Estampille de Jacob. Début du XIXe.

(Doc. Etude Aguttes-Laurent, Clermont-Ferrand)

Fauteuil en bois plaqué d'acajou, extrémités des accotoirs en dauphins. Début du XIXe s.

(Doc. Etude Ader-Picard-Tajan, Paris).

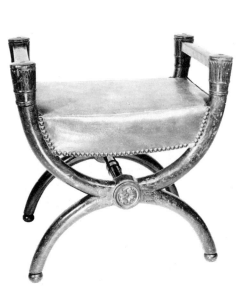

Tabouret en X en bois peint et sculpté de palmettes. Epoque Empire.

(Doc. Etude Ader-Picard, Paris)

Fauteuil de bureau en acajou, montants sculptés de mufles de lions, pieds à griffes. Début du XIXe s.

(Doc. Etude Ader-Picard-Tajan, Paris)

Fauteuil à dossier renversé en acajou, montants à têtes d'Egyptiennes, pieds griffes. Epoque Consulat-Empire.

(Doc. Etude Ader-Picard-Tajan, Paris).

Fauteuil en placage d'acajou, accotoirs à mufles de lion, pieds griffes. Epoque Consulat-Empire.

(Doc. Etude Ader-Picard-Tajan, Paris)

Fauteuil en acajou blond, bronzes dorés, accotoirs à cols de cygne, pieds griffes. Estampille de Sellier. Epoque Empire.

(Doc. Etude Ader-Picard-Tajan, Paris)

Fauteuil en bois doré et sculpté à décor de rosaces, palmettes et dauphins. Epoque Empire.

(Doc. Etude Ader-Picard-Tajan, Paris)

Bergère en bois orné de palmes et palmettes en bronze doré, support des accotoirs en sphinges ailées, pieds griffes. Estampille de Jacob frères. Epoque Empire.

(Doc. Etude Ader-Picard-Tajan, Paris)

Chaise en bois clair, dossier en X. Epoque Charles X.

(Doc. Etude Ader-Picard-Tajan, Paris)

Fauteuil peint et sculpté. Estampille de Bellangé. Epoque Empire.

(Doc. Etude Labat, Paris)

Fauteuil en acajou en forme de banquette, dossier rond percé d'un motif en trèfle avec un filet en ébène. Epoque Empire.

(Doc. Etude Couturier-de Nicolay, Paris)

Fauteuil de peintre en palissandre et filets de bois clair. Epoque Charles X.

(Doc. Etude Ader-Picard-Tajan, Paris)

Chaise en bois clair ; filets de bois foncé à décor de cygnes, rinceaux et palmettes. Epoque Charles X.

(Doc. Etude Briest, Paris)

Fauteuil gondole en placage d'érable moucheté et incrustations de filets d'amarante. Epoque Charles X.

(Doc. Etude Ader-Picard-Tajan, Paris)

▼

Fauteuil à dossier renversé en placage d'acajou marqueté de bois clair, accotoirs en crosse. Epoque Restauration.

(Doc. Etude Couturier-de Nicolay, Paris)

▲

Chaise en placage d'ébène et filets marquetés de bois clair, décor d'arcatures et ogives "à la cathédrale". XIXᵉ s.

◄

Bergère en bois clair rehaussé de motifs de bois foncé, accotoirs en crosse. Epoque Charles X.

(Doc. Etude Martin-Desbenoit, Versailles)

Canapé en bois clair à décor de palmes
stylisées et cols de cygnes. Epoque Charles X.

(Doc. Etude Rheims-Laurin, Paris)

fauteuil en acajou mouluré et sculpté.
Epoque Louis-Philippe.

(Doc. Etude Oger-Dumont, Paris)

Fauteuil en placage d'ébène
marqueté de filets de
bois clair à décor d'arcatures
et ogives ''à la
cathédrale''. XIXe s.

(Doc. Etude Cornette de Saint-Cyr, Paris)

Pouf en bois doré et sculpté. Epoque Napoléon III.
(Doc. Musée des Arts Décoratifs, Paris)

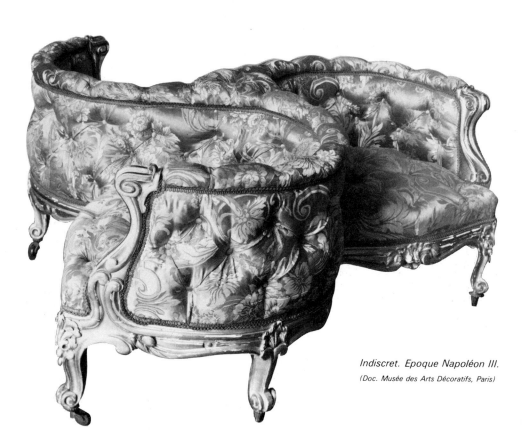

Indiscret. Epoque Napoléon III.
(Doc. Musée des Arts Décoratifs, Paris)

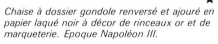

Chaise à dossier gondole renversé et ajouré en papier laqué noir à décor de rinceaux or et de marqueterie. Epoque Napoléon III.

(Doc. Etude Champin-Lombrail, Enghien)

Chaise en bois noir et décor burgauté. Epoque Napoléon III.

(Doc. Etude Peron-Corsy, Melun)

Tabouret à vis en bois sculpté et doré, siège coquille reposant sur un piétement à griffes de lion. Epoque Napoléon III.

(Doc. Etude Champin-Lombrail, Enghien)

▲

Chaise en bois doré habillé de tissu. Style néogothique. XIXe s.

(Doc. Etude Lelièvre, Chartres)

▼

Siège en bois doré habillé de tissu. Style néogothique.

(Doc. Etude Lelièvre, Chartres)

◄

Fumeuse. Epoque Napoléon III.

(Doc. Musée des Arts Décoratifs, Paris)

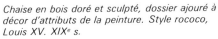

Chaise en bois doré et sculpté, dossier ajouré à
décor d'attributs de la peinture. Style rococo,
Louis XV. XIXe s.

(Doc. Etude Lelièvre, Chartres)

Fauteuil en bois doré, siège canné, dossier
ajouré. Style Louis XV. XIXe s.

(Doc. Etude Lelièvre, Chartres)

Fauteuil en bois doré et sculpté. Style Louis XVI.
XIXe s.

(Doc. Etude Cornette de Saint-Cyr, Paris)

Canapé en bois doré et sculpté. Style Louis XVI.
XIXè s.

(Doc. Etude Cornette de Saint-Cyr, Paris)

Fauteuil en bois doré et sculpté, style Louis XVI.
XIXᵉ s. Garni de tapisserie d'Aubusson.

(Doc. Etude Ader-Picard-Tajan, Paris)

Chaise en bois sculpté, décor aux clématites.
Louis Majorelle. Art Nouveau.

(Doc. Etude Champin-Lombrail, Enghien)

*Fauteuil et paire de chaises en bois sculpté à décor ''aux lilas''. Louis Majorelle.
Art Nouveau.*

(Doc. Etude Champin-Lombrail, Enghien)

*Salon en bois sculpté et ajouré, décor aux clématites. Louis Majorelle. Art
Nouveau.*

(Doc. Etude champin-Lombrail, Enghien)

Salon en noyer mouluré et sculpté à décor aux clématites. Louis Majorelle. Art Nouveau.

(Doc. Etude Griffe-Genin-Leseuil, Lyon)

Fauteuil en bois sculpté d'Hector Guimard. Vers 1903.

(Doc. Etude Champin-Lombrail, Enghien)

Chaises en poirier sculpté d'Hector Guimard. Art Nouveau.

(Doc. Etude Champin-Lombrail, Enghien)

Fauteuil en bois naturel, dossier ajouré et sculpté
à motif d'ombelles. Emile Gallé. Art Nouveau.

(Doc. Etude Grandin, Paris)

Chaise en ébène de Macassar de J.-E. Ruhlmann.

(Doc. Etude Champin-Lombrail, Enghien)

Salon en bois mouluré et sculpté, accotoirs en ailes de papillons décorés à
l'amortissement de végétaux. A. Gaudi et J. Busquets.

(Doc. Etude Champin-Lombrail, Enghien)

Chaises tripodes en ébène de Macassar de J.-E. Ruhlmann.

(Doc. Etude Champin-Lombrail, Enghien)

Fauteuil en palissandre massif de
J.-E. Ruhlmann.

(Doc. Etude Delaporte-Rieunier, Paris)

Fauteuil par Sue et Mare. Art Déco.

(Doc. Etude Mercier-Velliet-Thullier, Lille)

Mobilier de salon en osier. Travail de l'atelier de Pierre Chareau. Art Déco.
(Doc. Etude Girard, Dunkerque)

Canapé d'esprit orientaliste de Carlo Bugatti. Art Déco.
(Doc. Etude Verhaeghe-Hervouin, Poitiers)

Paire de fauteuils en tubes de chrome et toile beige gansée de Le Corbusier.

(Doc. Etude Loudmer-Poulain, Paris)

Chaise d'inspiration cubiste en palissandre.

(Doc. Etude Bondu, Paris)

Fauteuil de bureau en cuir, piétement circulaire en métal chromé. J.-E. Ruhlmann.

(Doc. Etude champin-Lombrail, Enghien)

Tables

Petite table en chêne du XVIIe s.

Table du Dauphiné XVIIIe s.

«Plateau posé sur un support», ainsi définit-on la table, un des premiers meubles, sans doute, imaginé par l'homme pour isoler les denrées précieuses du sol et des prédateurs. Aujourd'hui, encore, le modèle de base n'a guère changé si l'usage que l'on en fait s'est bien diversifié. Des usages si nombreux, en effet, que le mot est souvent passé dans le langage courant pour évoquer non pas l'objet lui-même mais sa fonction. Ainsi «une bonne table» est synonyme de mets délicieux, une «table ronde» signifie une assemblée tandis que «jouer cartes sur tables» veut dire que l'on ne cherche pas à dissimuler.

L'Égypte connaît déjà la table. Il s'agit le plus souvent de plateaux à pieds en forme d'animaux utilisés pour poser les objets. La table égyptienne sert de support, on ne s'y installe jamais pour un repas ou une conversation.

En Grèce, la table devient d'un usage plus courant; elle reste, cependant, un meuble léger. On s'en sert au cours des repas puis on la dissimule, sous un lit par exemple. En outre, les grecs se servent de quelques guéridons à trois pieds.

La table romaine est plus élaborée et l'on en connaît plusieurs modèles : une table rectangulaire sur tréteaux, réunis par des entretoises, une table circulaire et de nombreuses petites tables basses rectangulaires à quatre pieds. Ces dernières servent indifféremment de support ou de siège; beaucoup d'entre elles prennent place dans la cuisine ou l'atelier de l'artisan. La mode du guéridon se développe rapidement dans la Rome antique, ce sont des meubles en bois parfois précieux mais aussi en pierre, en bronze, en marbre avec des pieds zoomorphes. Pour festoyer, les Romains utilisent de petites tables basses tandis que les modèles plus grands et plus élevés sont réservés à la présentation des plats. A la fin de l'époque impériale, cependant, on voit apparaître de grandes tables, en demi-cercle, pouvant accueillir de nombreux convives.

Au Moyen-Âge, on trouve de grands plateaux en bois posés sur tréteaux, mais aussi des tables en pierre ou en métal ou encore des tabourets à dessus débordants. Pour dîner, on se sert plus volontiers de tables étroites et longues, quelquefois surmontées d'un dais et flanquées de bancs à marchepieds. Les tables du Moyen-Âge possèdent déjà des tiroirs et peuvent comporter, dans la partie basse, une sorte de petit placard. D'ordinaire, elles sont munies d'entretoises sur trois côtés; le dernier demeuré libre, permet de loger les jambes. Les tables utilisées lors des festins sont tout autres : en forme de fer à cheval, les convives s'y installent sans vis à vis, le côté

318

intérieur étant utilisé pour la présentation des mets.

A la Renaissance, c'est encore à la table à tréteaux que l'on fait appel, le plus souvent, car les maisons n'ont pas encore de salle à manger et le couvert est dressé dans n'importe quelle pièce. Peu à peu, la table à tréteaux en A, facile à démonter et à ranger, devient fixe, puis un objet décoratif imité des modèles romains ou italiens. Elle repose alors sur deux grands supports latéraux, parfois sur des colonnettes, et son plateau est souvent recouvert de broderies ou de soieries assorties aux tentures ou aux garnitures des sièges. La «table à l'italienne», qui connaît alors une très grande vogue, est une table fixe, décorative et non plus utilitaire. Certaines sont marquetées, d'autres incrustées de matières précieuses, le plateau parfois en mosaïque de marbre. Certains modèles, plus sophistiqués présentent des innovations intéressantes, comme l'introduction de rallonges coulissantes.

Les colonnettes vont, peu à peu, se transformer en pieds tournés sous Louis XIII, d'abord en chapelet puis en spirale. La table Louis XIII disparaît sous de lourdes draperies fixées ou non par des clous.

Au XVIIIᵉ siècle, la table s'allège : sous Louis XV, les pieds s'affinent et se cambrent et la table dite «de milieu» devient moins massive. La table de salle à manger n'apparaît guère avant le règne de Louis XVI lorsqu'une pièce déterminée sera réservée aux repas. Sous le Directoire, la table est souvent circulaire, l'époque Consulat l'alourdit et la charge de bronze.

Au XIXᵉ siècle, chacune des pièces de l'habitation est définitivement affectée à un usage déterminé. Sous Napoléon III, on choisit volontiers un style différent pour chaque pièce. C'est ainsi que naissent les nombreuses tables Henri II dans les salles à manger de l'époque, une mode qui durera jusqu'aux premières années du XXᵉ siècle. «L'Art pour le peuple et par le peuple», tel est le maître-mot des ébénistes de la révolution «Art Nouveau». Les modèles de tables sont créés à partir de motifs choisis dans la nature. En 1892, Émile Gallé exécute ainsi l'un de ses chefs-d'œuvre, la table «aux herbes potagères». Entre les deux guerres, les ébénistes «Art Déco» produisent des tables souvent dépouillées, mais utilisent des matières très raffinées : galuchat, ivoire, ébène...

Table rectangulaire en bois naturel et marqueterie d'ivoire et de nacre à décor de rinceaux, vases, médaillons personnages et masques. Datée 1604. H : 78,5 cm. L : 136 cm, P : 66 cm.

(Doc. Etude Ader-Picard-Tajan, Paris).

Table à rallonges en noyer. Travail du Val-de-Loire. Epoque Renaissance. L : 130 cm.

(Doc. Etude Peron, Corsy).

Table de salon rectangulaire en bois naturel et bois de placage à incrustations d'ivoire et décor de rinceaux, vases, fleurs et feuillages. XVIIe siècle. H : 75,5 cm, L : 106 cm, P : 69,5 cm.

(Doc. Etude Ader-Picard-Tajan, Paris).

*Table en bois naturel moluré et sculpté,
piétement à colonnes supportant de plateau.
Haute Epoque.*

(Doc. Etude Couturier-de Nicolay, Paris).

*Table en noyer, piétement tourné à balustre.
Epoque Louis XIII. H : 77,80 cm, L : 100,80 cm,
P : 61,70 cm.*

(Doc. Etude Germain-Desamais, Avignon).

Table de ferme en pin de la région du Queyras, fabriquée à Pierre-Grosse (Hautes-Alpes). Influence du style Louis XIII

(Musée des Arts et Traditions Populaires, Paris)

Table-huche en pin originaire de la région de Molines-en-Queyras (Hautes-Alpes).

(Musée des Arts et Traditions Populaires, Paris)

Table panetière de Saône-et-Loire.

(Musée des Arts et Traditions Populaires, Paris)

Large table en bois de placage marqueté, riche ornementation de bronzes dorés, piétement à décor de têtes d'animaux et guirlandes de fleurs et de fruits. Epoque Napoléon III.

(Doc. Etude Labat, Paris).

Table de milieu rectangulaire à abattants en acajou, placage d'acajou et marqueterie. Epoque Napoléon III. H : 73 cm, L : 79 cm, P : 55 cm.

(Doc. Etude Champin-Lombrail, Enghien).

Table de ferme en bois naturel. Travail bressan.

(Doc. Etude Bretaudière, Châlon-sur-Saône).

Table de noyer mouluré, trois tiroirs en ceinture, pieds en bois tourné. XVIIe siècle.

(Doc. Etude Labat, Paris)

Table demi-lune à plateau rabattable, huit pieds.

(Doc. Etude Lelièvre-Bailly-Pommery).

Table de salle à manger. Travail d'Hector Guimard. 1903, Période Art Nouveau.
H : 77 cm, L : 153 cm, P : 97 cm.

(Doc. Etude Champin-Lombrail, Enghien).

Table rectangulaire à décor de fleurs d'artichauts. Travail de Louis Majorelle.
Période Art Nouveau. H : 73 cm, L : 160 cm, P : 130 cm.

(Doc. Etude Champin-Lombrail, Paris)

Table en bois laqué noir à piétement latéral en V inversé, entretoise à volutes en bronze doré, plateau à abattants latéraux. Travail d'Eugène Printz. Période Art Déco. H : 77,5 cm, L : 109,5 cm, P : 57,5 cm.

(Doc. Etude Cornette de Saint-Cyr, Paris)

Table à plateau rectangulaire en ébène de Macassar et loupe d'amboine à filets d'ivoire. Travail de J.-E. Ruhlmann. Période Art Déco. H : 73 cm, L : 160 cm, P : 105 cm.

(Doc. Etude Champin-Lombrail, Enghien).

Tables à jouer et billards

Table de tric-trac en acajou mouluré et décoré de défoncements. Elle ouvre à deux tiroirs en ceinture. Le plateau marqueté d'un damier repose sur quatre pieds gaines à arêtes défoncées. Estampillée à deux reprises de J.H. Riesener. Epoque Louis XVI.

(Doc. Etude Ader-Picard-Tajan, Paris)

327

Table d'homme en bois plaqué d'acajou mouluré, le dessus mobile foncé de cuir et drap vert découvre un marbre blanc veiné gris ; en ceinture un jeu mobile de tric-trac, un tiroir à secret, un autre formant coffre et au centre une glace dont l'envers est un jeu de dame. Pieds fuselés à cannelures. Estampille d'Avril. Epoque Louis XVI.

(Doc. Etude Ader-Picard-Tajan, Paris)

Les plus anciens jeux de société que l'on connaisse ont été retrouvés dans les tombes, en Mésopotamie ; ils datent du IIIe millénaire.

Aussi ne faut-il pas s'étonner que de nombreux meubles aient été créés pour cet usage précis. Le XVIIIe siècle aura la passion du jeu et les modèles créés seront innombrables.

On joue aux échecs, aux dames, au jeu de l'Oie, au tric-trac, au jacquet... mais aussi au gammon, au brelan, au reversi, au quadrille... et les tabletiers s'en donneront à cœur joie, rivalisant d'imagination et de fantaisie pour satisfaire leur clientèle.

La table de quadrille est carrée, recouverte d'un dessus en tissu ; chacun des quatre joueurs trouve, dans la traverse placée devant lui, un tiroir. Si l'on abandonne les cartes, la table se replie, le dessus faisant office de damier et le jeu continue.

La table de brelan, au contraire, possède un plateau rond avec au centre une cavité où l'on place un flambeau appelé bouillotte, d'où le nom de table-bouillotte qu'elle prendra bientôt. Au bord de la table sont disposées des alvéoles pour recevoir les cartes.

La table de tri est triangulaire et devient carrée lorsque l'on fait glisser un pied soutenant le dernier côté. La table de reversi comporte cinq côtés. La table tric-trac est utilisée à plusieurs fins. Le plateau, double-face, sert tantôt à écrire, tantôt à jouer, et recouvre un espace destiné aux dés et aux pions. Certains marchands tabletiers du XVIIIe siècle sont spécialisés dans la fabrication des tables à jeux et des modèles sophistiqués peuvent servir à une bonne quinzaine de jeux différents.

Au XIXe siècle, sans s'éteindre, la passion du jeu se fait moins vive et, surtout, elle se pratique le plus souvent à l'extérieur, dans des cercles de jeux qui se multiplient alors. Les loisirs évoluent et les longues soirées passées, chez soi, au coin du feu ne sont plus de mise. Au fur et à mesure que le siècle s'avance les modèles de tables à jeux vont donc se réduire et se simplifier.

Aujourd'hui, il ne reste plus dans nos modernes intérieurs que la table de bridge, que les créateurs Art Déco porteront à un très haut niveau de raffinement en utilisant des bois et des matières précieuses : palissandre, ébène de macassar, ivoire, galu-chat...

Jeu très ancien et encore très populaire de nos jours, le billard a donné naissance à des meubles du même nom. A l'origine, cependant, c'est un divertissement de plein air proche du croquet.

Au XVIIIᵉ siècle, les grands de ce monde et le roi lui-même le pratiquent avec assi-duité, sur les conseils de la Faculté qui le juge excellent pour combattre l'embonpoint.

Au XIXᵉ siècle, les règles et, partant, la forme du billard changent. Le billard du XIXᵉ siècle est, sous les fastes de l'Empire, en acajou et porte les emblèmes impériaux. Des modèles raffinés en palissandre marqueté de citronnier voient le jour sous le règne de Charles X, et les billards de l'époque de Napoléon III sont en ébène ou en bois de rose. Des modèles plus simples existent en noyer et en chêne et toute bonne maison se doit, au XIXᵉ siècle, d'abriter un billard.

Contrairement à une opinion souvent répandue, les billards ne sont pas tous de la même taille : les plus petits ne dépassent pas 2,30 m sur 1,30 m et les plus grands mesu-rent 3,10 m sur 1,70 m.

Table à jeux, mouvementée à plateau pliant, en bois de placage marqueté de cubes. Deux tiroirs en ceintures. Epoque Louis XV.
(Doc. Etude Ader-Picard-Tajan, Paris).

329

Trictrac en acajou. Epoque Louis XVI.

(Doc. Etude Couturier-de Nicolay, Paris)

*Tritrac en placage d'acajou et filets d'ébène, pieds gaines.
Epoque Louis XVI.*

(Doc. Etude Aguttes-Laurent, Clermont-Ferrand).

Guéridon bouillotte en placage d'acajou mouluré, tiroir en
ceinture, damier en marbre rapporté. Epoque Louis XVI.

Table de jeu de forme contournée
en bois de placage marqueté,
plateau amovible
et casiers dans les angles.
Style Louis XV.

(Doc. Etude Cornette de Saint-Cyr).

Table à jeu en bois naturel
mouluré et sculpté.
Travail provençal. XVIIIe siècle.

(Doc. Etude Germain-Desamais, Avignon).

*Table de tric-trac, pouvant former bureau en placage d'acajou tiroirs latéraux.
Pieds fuselés, dessus mobile de drap vert et de cuir. Estampille de J.-F. Leleu.
Epoque Louis XVI. H. 76 cm. L. 124 cm.*

(Doc. Etude Ader-Picard-Tajan, Paris).

*Table trictrac en placage de palissandre, plateau à volets.
Epoque Louis XV.*

(Doc. Etude Laurin-Guilloux-Buffetaud, Tailleur)

Table à jeux ''portefeuille'' de style Louis XV ; placage de satiné de bois de violette, bronzes ciselés et dorés. Estampille de F. Linke. Seconde moitié du XIXᵉ siècle.

(Doc. Lecoules, Paris)

Table à jeux ''mouchoir'' de style Louis XV ; placage de bois de violette, bronzes ciselés et dorés. Estampille de Paul Sormani. Seconde moitié du XIXᵉ s.

(Doc. Lecoules, Paris)

*Trictrac en bois de rose et palissandre. Estampille de Potarange.
Milieu du XVIIIᵉ siècle.*

(Doc. Etude Oger-Dumont, Paris).

*Billard, montants des pieds en bois tourné. Epoque Louis XIII.
L : 407 cm, L : 217 cm.*

(Doc. Etude Feydy, Bergerac)

Billard en palissandre, marqueté de citronnier et d'érable. Epoque Charles X.
(Doc. J.M. Semoux, Reims)

Billard en noyer ; les tours de bandes sont escamotables et le billard peut être transformé en table à repas. Epoque Napoléon III.
(Doc. J.M. Semoux, Reims)

Lexique des termes techniques

Cette liste non exhaustive est celle des termes les plus couramment utilisés dans le meuble ; ils sont parfois communs avec ceux employés en architecture et en décoration. Des termes anciens se sont parfois transformés au fil du temps et ont été remplacés par d'autres en fonction de techniques nouvelles.

Abattant. Panneau mobile d'un meuble – secrétaire, bureau ou table – que l'on peut abaisser ou relever.

Abeille. A travers de nombreuses traditions culturelles, l'abeille apparaît comme la représentation de l'ordre et de la prospérité, mais aussi comme un être de feu symbolisant le courage. Elle constitue l'un des principaux motifs décoratifs utilisés sous le Premier Empire.

Acanthe. Plante d'Europe méridionale dont la feuille caractéristique, large, longue et très découpée, entre dès l'Antiquité dans la composition de nombreux motifs de décoration, tant pour l'architecture que pour les arts décoratifs, le mobilier entre autres. Réemployé à la Renaissance, le motif «en feuille d'acanthe» est utilisé sous des formes diverses tant au XVIIᵉ qu'au XVIIIᵉ siècle à travers les styles classiques ou baroques.

Accotoir. Bras de siège aux appuis latéraux non garnis ou repose l'avant-bras. L'accotoir est formé du bras et de la console d'accotoir qui relie le bras à la ceinture du siège.

Accoudoir. Partie garnie du dossier des voyelles et des voyeuses (voir ces mots).

Agrafe. Clef de voûte dont les ornements en volute semblent agrafer (c'est-à-dire entourer) les moulures des arcades. Par extension agrafe désigne, dans le décor du mobilier, des motifs saillants placés au milieu d'un corps de moulure, auquel ils semblent s'accrocher.

Aigle. Utilisé dans la mythologie et l'évangile puis dans l'art héraldique – il figure dans les armes de nombreuses familles princières d'Europe – l'aigle est un symbole de puissance et de force. Il fut utilisé, en particulier, au cours du Premier Empire. Symbolisant aussi l'évangéliste saint Jean, il couronne de nombreux lutrins.

Ailes de papillon. Motif décoratif rappelant la forme des ailes de papillon, obtenu en marqueterie avec des placages débités d'une manière particulière.

Ajouré. Qualifie toute forme ou motif d'ornementation percés à jours et dans le mobilier certaines consoles «rocailles» et les traverses de certaines armoires et commodes notamment en Provence.

Alcôve. Emplacement dans lequel on dresse un lit qu'on peut dissimuler à l'aide de rideaux ou de portes.

Amati. Mat, contraire de brillant.

Amortissement. Couronnement d'un édifice, d'un meuble ou d'un autre ouvrage (voir console).

Amour (attributs de l'). Symboles de l'amour figurant dans le répertoire ornemental de la Renaissance et néo-classique, à savoir : Cupidon (enfant nu ailé), l'arc et les flèches; carquois, torche, couple de pigeons ou de colombes, panier fleuri.

Anneau de tirage. Anneau généralement de métal fixé aux tiroirs et aux tirettes pour les mouvoir plus aisément.

Anse de panier (dossier en). Qualifie un dossier de siège formé d'un nombre impair d'arcs de cercle, généralement trois.

Antique (à l'). Qui copie ou pastiche les motifs décoratifs ou formes de l'Antiquité notamment sous la Renaissance, le règne de Louis XIV et pendant l'essor du néo-classicisme (Louis XVI, Directoire, Empire) ou la période Art-Déco.

Apprêt (couche d'). Préparation ou enduit qui précède dans certains cas l'application de peinture ou de vernis.

Appui (meubles à hauteur d'). Qualifie un meuble sur lequel une personne debout peut s'appuyer.

Arabesque. A l'origine ornement peint ou sculpté imitant l'écriture arabe, ne présentant aucune forme rappelant la nature. Puis le mot arabesque désigna des compositions décoratives pouvant prendre plusieurs formes. Elles peuvent soit se composer de rinceaux formés de lignes d'enroulement de feuillages disposées symétriquement, soit de rinceaux formés de feuillages auxquels s'ajoutent des figures réelles ou de fantaisie. Quand des figures humaines viennent s'ajouter on les appelle des grotesques. Les arabesques sont employées notamment sous la Renaissance, puis aux XVIIe, XVIIIo et XIXe siècles, prenant des formes diverses selon les styles.

Arbalète (en ou en arc d'). Profil d'un type de commode né sous la Régence, créé par Cressent, dit-on, qui présente une ligne en courbe et contre courbe évoquant la forme d'un arc d'arbalète ou une sorte d'accolade.

Arcature. Ensemble des parties d'une construction taillées en forme d'arc.

Archebanc. Banc du Moyen Age à dossier et dont le siège forme coffre.

Artois (à la d'). Qualifie un siège Louis XVI au siège et au dossier circulaires.

Athénienne. Meuble tripode inspiré des trépieds antiques, formant brûle-parfum ou guéridon ou meuble de toilette, voire jardinière ou table à ouvrage.

Aventurinée (laque). Forme de laque utilisée au XVIIIe siècle à base de vernis noir, semé de paillettes de mica.

B

Bagué. Entouré d'un anneau. S'applique aux pieds ou aux colonnettes de certains meubles consolidés ou ornés à leur partie haute ou basse par des anneaux de métal, le plus souvent de cuivre. Les meubles bagués sont fréquents dans les styles Louis XVI, Directoire et Empire.

Baldaquin. Dais (cadre de tissu tendu) placé au-dessus d'un lit ou d'un siège (trône généralement) d'où tombent les courtines.

Balustre. Qualifie une forme en pilier vertical dont le renflement varie avec les styles. S'applique aux piétements des sièges, aux consoles, aux consoles d'accôtoirs et au support des plateaux des tables.

Bandeau. Pour les meubles synonyme de frise; traverse qui peut remplacer la corniche.

Barbière. Petit meuble de toilette pour homme équipé d'un miroir et généralement d'un plateau mobile découvrant une cavité abritant les accessoires nécessaires pour se raser ou soigner sa barbe. Apparaît à la fin du XVIIIe siècle.

Baroque. En matière de style recouvre la période qui s'étend de la fin de la Renaissance au néo-classicisme (1770 env.). S'oppose au classique. Étymologiquement le mot a pour origine un terme portugais «barroco» s'appliquant à des perles irrégulières. Le style baroque se caractérise par sa profusion décorative, son recours systématique à la courbe et à l'asymétrie.

Bâti. Ossature d'un meuble constitué par l'assemblage des montants et des traverses.

Battant. Panneau mobile d'une porte de meuble, synonyme de vantail.

Biscuit. Céramique ayant l'aspect d'un marbre blanc et mat. Fut utilisé sous forme de plaques ou de médaillon pour orner des meubles Transition, Louis XVI, puis Napoléon III.

Boiserie (meuble de). Qualifie un meuble intégré à l'ensemble des lambris et dont le piétement prend la forme d'une plinthe assortie à celle des lambris.

Bonnet phrygien. Coiffure sans bord qui caractérise les sans-culottes de la République et fut reprise comme motif décoratif en bronze doré sur les fort rares meubles de l'époque révolutionnaire.

Brisé (dessus). Qualifie un bureau à plateau incliné pouvant se rabattre pour former écritoire. Synonyme de bureau en dos d'âne ou bureau de pente.

Brûle-parfum. Vase pansu dans lequel on faisait brûler des parfums et qui sert de motif décoratif dans le mobilier néo-classique. Synonyme : cassolette.

Bruni (de brunir, opération de brunissage). Poli et rendu brillant par opposition à mat et amati. S'applique aux parties métalliques des meubles : bronzes, cuivres, etc..

Buste d'Egyptienne. Motif décoratif sculpté en plein bois ou bronze doré rapporté, à la mode sous le Directoire et l'Empire, représentant, comme son nom l'indique, un buste de femme aux traits égyptiens.

C

Cabochon. La forme d'une pierre en cabochon, fine ou semi précieuse, est arrondie contrairement à celle du diamant taillé en facettes.

Cabriolet. Un siège au dossier en cabriolet présente un dossier cintré destiné à mieux épouser la forme du dos. Par opposition au dossier «à la Reine». Cette forme apparaît au milieu du XVIIIe siècle.

Caducée. Attribut de Mercure composé d'une verge culée à laquelle s'enroulent deux serpents. Motif décoratif antique repris dans les styles néo-classiques.

Caisson. Compartiment destiné à recevoir un ou plusieurs tiroirs.

Camaïeu. Peinture monochrome, s'oppose à la polychromie.

Campane. Motif décoratif en forme de clochette.

Cannage. Action de canner c'est-à-dire garnir les sièges de treillis faits de lanières d'écorce de rotin selon un dessin géométrique.

Cannelure. Moulure creuse de profondeur égale, pratiquée sur le fût des pieds ou sur les montants ou encore aux ceintures ou frontons des meubles. On distingue différentes formes de cannelures : les cannelures à côtes séparées par des listels (partie lisse d'un fût de colonne occupant l'intervale des cannelures); les cannelures à vives arêtes dont les courbes déterminent en leur point de rencontre un angle aigu; les cannelures câblées dont le vide est rempli par un câble; les cannelure en gaine dont les bords au lieu d'être parallèles convergent vers une base plus étroite que le sommet; les cannelures en zigzag, tracées suivant une ligne brisée; les cannelures ornées, dans le vide desquelles sont placés des motifs d'ornementation; les cannelures plates dont la section est déterminée par un rectangle; les cannelures torses, creusées en spirales.

Capiton. Garniture de siège embourrée et piquée, garnie de petits boutons à l'endroit des piqures. Fort à la mode sous Louis-Philippe et la seconde partie du XIXᵉ siècle.

Cariatide. Colonne en forme de statue de femme au buste dénudé servant de support en guise de colonne ou de pilastre. La cariatide fut très en faveur sous la Renaissance puis sous le règne de Louis XVI et sous l'Empire.

Carreau. Coussin destiné aux sièges non garnis dont ils améliorent le confort.

Cartouche. Surface aux contours variés, délimitant un espace dans lequel s'inscrivent des décors et des chiffres.

Casque. Coiffure guerrière utilisée dans le répertoire décoratif antique puis repris à la Renaissance, sous le règne de Louis XIV et le Premier Empire.

Cassolette. Vase à parfums, quelquefois couronné de flammes et de fumée figurant dans le répertoire ornemental néo-classique, notamment Louis XVI.

Ceinture. Pour les sièges, bande qui entoure le siège, à laquelle viennent se fixer les montants des pieds, les consoles d'accotoir, les montants du dossier; pour une table, bande qui entoure le plateau.

Chalit. Cadre du lit (longs pans et traverses) en bois ou en métal, porté par les pieds de lit.

Chantournée. Se dit d'une forme galbée en courbes et contrecourbes, caractéristique des styles Régence, Louis XV et 1900.

Chapelet (en). Désigne des colonnes ou des colonnettes sculptées ou tournées, aux motifs figurant des grains, perles ou boules reliés entre eux et évoquant des chapelets.

Chapiteau. Motif formant sailli placé au sommet d'une colonne, d'un pilier ou d'un pilastre. Dans les meubles, comme l'armoire par exemple, désigne la moulure en couronnement terminant le meuble.

Chardon. Représentation végétale très en vogue dans le répertoire décoratif Art Nouveau.

Châssis. Cadre de bois servant de support aux sièges et dossiers de sièges. Pour des pièces de luxe il existait des châssis mobiles qui permettaient de changer la garniture, donc le décor.

Chevet. Pour les lits, panneau du châlit plus élevé que le panneau du pied.

Chevet (table de). Petite table portative inventée au milieu du XVIIᵉ siècle, destinée à la chambre.

Cheville. Petite tige de bois dont on se sert pour assembler différents éléments d'un meuble. La menuiserie traditionnelle privilégiait l'assemblage par chevillage jugé plus noble que l'assemblage par collage.

Chimère. Animal fabuleux à plusieurs représentations; la plus courante arbore une tête de lion, un corps de chèvre et une queue de dragon. Utilisée sous la Renaissance, le Directoire, l'Empire et la Restauration.

Chute. Ornement de bronze de formes diverses, le plus souvent fleurs et feuillages, suivant les styles. Épouse un pied de meuble ou un montant.

Ciel (de lit). Cadre d'étoffe tendue au-dessus d'un lit.

Cintré. Synonyme de courbé.

Ciselé. Travaillé au ciselet, sorte de petit burin.

Claire-voie. Désigne un motif de sculpture découpé à jour (évidé).

Clocheton. Pyramide à plusieurs pans en forme de petit clocher. Faisant partie du répertoire ornemental du Moyen Age et du style Troubadour.

Col de cygne. Motif décoratif antique repris sous le Directoire, l'Empire et la Restauration notamment pour les accotoirs des sièges ou pour les têtes et pieds de lits.

Colonne. Support cylindrique vertical, composé d'une base, d'un fût et d'un chapiteau.

Colonnette. Petite colonne. Colonnes et colonnettes sont utilisées à peu près à toutes les époques, en particulier dans les piétements des tables, des cabinets Renaissance et Louis XIII, puis en façade des commodes et secrétaires Directoire, Empire et Restauration.

Compartiment. Division pratiquée dans un panneau, formée par des moulures ou des cannelures.

Confident. Siège du Second Empire, à deux places se faisant face, dont le dossier unique s'incurve en S.

Console. Table appuyée contre le mur. Sens plus étendu : élément en volute qui soutient un plateau de table, un bras de fauteuil. Une console renversée est utilisée pour remplir un vide entre deux surfaces en retrait, ou pour relier deux membres d'architecture en formant une sorte d'amortissement.

Coquille. L'enveloppe calcaire du coquillage, notamment de la coquille Saint-Jacques, traitée au naturel, a été utilisée en guise de motif décoratif depuis l'antiquité; ce motif a trouvé son plus grand emploi lors du triomphe du rocaille sous le règne de Louis XV, arborant à ce moment une forme asymétrique et déchiquetée.

Corne. Matière organique «récoltée» sur certains animaux qui, traitée (assouplie) et teintée, est utilisée dans certaines marqueteries, notamment dans celle dite dans le goût de Boulle.

Corne d'abondance. Motif décoratif représentant une corne débordant de fruits, de fleurs ou d'autres objets symbolisant la prospérité. Appartenant au répertoire décoratif antique, il fut utilisé à toutes les époques.

Corniche. Moulure formant le couronnement d'une façade de meuble.

Corps. Partie principale d'un meuble d'où sont exclus le piétement, la corniche ou le fronton.

Couronne (de laurier). Motif ornemental circulaire emprunté à l'antiquité, symbole d'autorité ou de victoire, fort utilisé dans les styles néo-classiques, dans le style Empire en particulier.

Courtine. Tenture qui descend du dais du baldaquin et enveloppe un lit d'une façon complète ou partielle.

Crémaillère. Système mécanique permettant à l'aide de crans soit de régler l'inclinaison du dossier d'un siège, soit de modifier la hauteur du plateau d'une table.

Croisillon. Bras horizontal d'une croix, généralement plus court que le bras vertical, que l'on retrouve au Moyen Age et dans le style néo-gothique. Il existe aussi une sorte de croisillon utilisé par le style Louis XVI figurant un faisceau de baguettes maintenues par des rubans en X.

Crosse (forme en). Synonyme de volute.

Cul-de-lampe. Forme ou volume décoratif triangulaire, à la pointe dirigée vers le bas.

Cylindre. Couvercle incurvé composé de lattes coulissantes ou rigides équipant certains bureaux à partir de la fin du règne de Louis XV.

D

Dais. Sorte de petit toit de bois sculpté ou le plus souvent de tissu, tendu au-dessus d'un siège ou d'un lit.

Damier (décor en). Motif de marqueterie rappelant le plateau du jeu de dames.

Dauphin. Mammifère marin dont la représentation est utilisée en décoration depuis l'antiquité et revint à la mode à partir du règne de Louis XVI jusqu'à celui de Louis-Philippe.

Dé (de raccordement). Petit cube de bois où viennent se fixer les montants des pieds, et la ceinture des meubles et, éventuellement, la console d'accotoir des sièges.

Demi-lune. Forme en demi-cercle appliquée à des tables, à des consoles mais aussi à des commodes et à des meubles d'entre-deux d'époque ou de style Louis XVI notamment.

Doucine. Moulure formée de deux portions de cercle l'une concave et l'autre convexe. La concave occupe la partie supérieure et la partie convexe inférieure. Dans une doucine renversée c'est le contraire.

Dragon. Animal fabuleux à ailes d'aigle, griffes de lion et queue de reptile utilisé dans les répertoires décoratifs byzantins et chinois repris au XVIIIe siècle surtout.

Draperies. Motif décoratif en forme d'étoffes tombant en plis, utilisé dans les styles néo-classiques, dans le Louis XVI notamment.

E

Écran. Petit meuble portatif composé d'un cadre tendu, placé devant la cheminée pour en atténuer la chaleur.

Écritoire. Petit meuble à écrire généralement équipé d'un pupitre et d'un caisson permettant de ranger le matériel destiné à cet effet.

Églomisé. Voir verre..

Encoignure. Petit meuble destiné à prendre place à l'angle de deux panneaux muraux, en forme de coin. Se présente à partir du XVIIIe siècle, souvent par paire.

Encadrement. Bordure servant d'entourage à des meubles ou des panneaux de meubles.

Enchâssé. Synonyme d'encastré, entouré, placé dans une châsse.

Encorbellement (en). Petit balcon en saillie; s'applique à des moulures ou des consoles.

Enroulements. Motifs décoratifs formés de volutes en spirales.

Entablement. Moulures formant le couronnement d'un meuble.

Entre-deux. Petit meuble destiné à être placé contre un panneau mural entre deux ouvertures (porte ou fenêtre).

Entrée de serrure. Plaque de métal (cuivre, bronze ou fer forgé) couvrant l'entourage de l'ouverture où l'on introduit la clé.

Entrejambe. Synonyme d'entretoise, désignant les croisillons ou traverses reliant pour les renforcer les pieds d'un meuble.

Entrelacs. Ornements formés de feuilles, rinceaux et fleurs formant des lignes courbes se croisant et s'enchevêtrant. On désigne aussi sous le nom d'entrelacs des motifs formés de combinaisons de lignes brisées et de lignes courbes. Les entrelacs sont particulièrement utilisés dans le style Renaissance, puis néo-Renaissance en vogue sous le Second Empire.

Entretoise. Pièce de métal ou de bois réunissant pour les consolider les pieds d'un meuble.

Escargot (pied en). Pied d'une commode, d'un siège ou de tout autre meuble d'époque ou de style Louis XV dessinant la coquille de l'escargot.

Espagnolette. Motif décoratif en bronze doré représentant une jeune femme en buste, caractéristique du style Régence.

Étoile. Motif décoratif en rayon (en branches) en usage sous l'Empire notamment.

F

Faisceau. Assemblage de colonnettes.

Faisceau de licteur. Ensemble de baguettes réunies par une ou plusieurs courroies entourant une hache à double fer symbole d'autorité dans la Rome antique; ornement utilisé sous la Révolution, le Directoire et l'Empire.

Faune. Dieu champêtre aux oreilles longues et pointues, portant des cornes; son masque est utilisé dans les bronzes appliqués aux meubles.

Fenestrage. Motif décoratif rappelant une rangée de fenêtres, généralement ogivales, proche l'une de l'autre, utilisé dans le style gothique, puis néo-gothique troubadour.

Feuille. Traitée au naturel ou stylisée, la feuille figure en bonne place dans tous les répertoires ornementaux.

Feuille d'eau. Motif ornemental désignant une feuille de roseau plus ou moins stylisée. Utilisé sous la Régence puis par l'école de Nancy et le mouvement Art Nouveau.

Fiches. Sorte de gonds métalliques souvent ouvragés, permettant aux ouvrants de pivoter.

Fil. Sens des fibres du bois.

Filet. Moulure généralement carrée séparant deux éléments décoratifs.

Fleurette. Motif décoratif «au naturel» ou stylisé utilisé par presque tous les styles.

Fleuron. Ornement représentant une fleur ou une feuille. Utilisé notamment dans les styles gothique et néo-gothique aux sommets des gables, pignons, dais. Dans le style classique, désigne des petites rosaces ou des fleurs entourées de feuillages.

Forme. Siège long sans accotoir, ancêtre de la banquette.

Frisage. Technique de placage consistant à obtenir des motifs décoratifs en opposant les fils des bois employés.

Frise. Composition dessinée, peinte ou sculptée dont la longueur est beaucoup plus importante que la hauteur.

Fronton. Couronnement de meubles notamment des armoires, des bibliothèques, des buffets. Le fronton peut être triangulaire, en demi-cercle, brisé ou entrecoupé.

Fuselé. Désigne les ornements de moulures en forme de tronc de cône; s'applique aux pieds des sièges Louis XVI.

G

Gable. Pignon triangulaire, posé sur l'arc d'une baie très ajourée et ornée de fleurons, utilisé dans les styles gothique et néo-gothique.

Gaine (en). Forme s'évasant du bas vers le haut, caractéristique des pieds de certains sièges Louis XIV et Louis XVI.

Galbé. Synonyme de chantourné.

Galerie. Sorte de petite bordure ou grille basse de bois ou de cuivre ajouré entourant les plateaux des tables et des secrétaires en particulier sous Louis XVI.

Galuchat. Peau de raie ou de requin, poncée, puis teinte, utilisée au XVIIIe siècle et pendant la période Art Déco pour garnir des panneaux ou plateaux de meubles.

Garde-meubles. Service né sous le règne de Louis XIV, chargé de la garde des mobiliers royaux où étaient notés tous les renseignements concernant les meubles : leur nature, leurs auteurs, leur prix d'achat, etc. Les archives du garde-meubles constituent une des principales sources de documentation des historiens du meuble.

Garniture. Pour les sièges et les lits, ensemble de matériaux (étoffes, touffes de crin) destinés à recouvrir les sièges et les dossiers; en menuiserie et ébénisterie, désigne l'ensemble des bronzes ou cuivres équipant les meubles (chutes, entrées de serrures, poignées, sabots).

Gigogne. Se dit d'une table généralement petite dont la forme de plus en plus réduite se répète en plusieurs exemplaires.

Godron. Motif d'ornementation en forme de moulure ovale ou de cannelure en relief utilisé au XVIIe siècle.

Gond. Pièce de fer coudée en équerre sur laquelle pivotent les ferrures d'une porte.

Gondole. Forme enveloppante du dossier d'un siège aux joues garnies; caractérisant certains sièges Louis XVI, Empire et Restauration puis Art Déco.

Gothique. S'applique au style recouvrant la période qui s'étend du XIIe au XVe siècle. Une résurgence abâtardie de ce style réapparut au XIXe siècle avec le style néogothique dit aussi troubadour ou «cathédrale».

Gradin. Tablettes disposées en degrés formant des casiers; couronnent un bureau soit en y étant fixées, soit en y étant simplement posées.

Grecque. Motif décoratif formé de lignes brisées à angle droit formant des portions de carrés et de rectangles non fermés, reliés entre eux par des lignes droites. Ils fut particulièrement employé dans le style Louis XVI et par certains ensembliers du mouvement Art Déco.

Grenade. Ornement en forme de sphère d'où sort une flamme à la partie supérieure.

Griffes de lion. Motif imitant les griffes du lion ou de tout autre animal et formant les pieds de certains meubles; à la mode sous la Renaissance et l'Empire notamment.

Griffon. Animal «fabuleux» à corps de lion, ailes et tête d'aigle tiré de la mythologie perse et assyrienne; réutilisé dans les styles néo-classiques, Directoire, Consulat et Empire.

Grillage. Treillis de fils métalliques destiné à former des clôtures ajourées, équipant notamment les portes des bibliothèques.

Gris trianon. Peinture appliquée aux meubles, de couleur grise ou blanc cassé à la mode sous Louis XVI. A l'origine, sous Louis XIV, enduit destiné à recevoir des couches de dorure et resté en l'état pour cause d'économie.

Grisaille. Peinture monochrome ou peinture imitant les bas-reliefs à l'aide du blanc, du noir et de différents gris. A la mode sous la Renaissance et à la période néo-classique.

Grotesques. Personnages fantastiques à figures grimaçantes ou comiques, parfois moitié hommes, moitié animaux; utilisés en décoration à partir de la Renaissance ils connurent un grand succès à la fin du XVIIe siècle et au début du XVIIIe notamment sous l'impulsion de Berain.

Guirlande. Motif décoratif formé de feuillages, de fleurs ou (et) de fruits tressés ou reliés par des rubans; plus particulièrement utilisé à la Renaissance, sous le règne de Louis XIV, puis sous celui de Louis XVI.

Hachures. Motif décoratif obtenu en traçant des traits parallèles ou (et) croisés.

Haricot (en). En forme de graine de haricot, synonyme de rognon; s'applique le plus souvent à de petites tables de salon du XVIIIe siècle.

I

Impériale. Dais baldaquin en couronne fermée, d'où tombent les courtines.

Indiscret. Canapé né sous le Second Empire à trois places séparées et fixées à un axe central.

J

Jardinière. Petite table née au milieu du XVIIIe siècle, munie d'un caisson de métal ou de céramique destiné à recevoir des fleurs et des plantes.

Jaspe. Calcédoine dure et opaque souvent veinée aux couleurs diverses utilisée pour fabriquer des colonnettes de cabinets ou en applique et en incrustations sous forme de cabochon.

Joue *ou* **Jouée.** Panneau latéral plein, canné ou embourré entre le bras et le siège d'un fauteuil, bergère ou sofa, par exemple.

K

Klaft. Coiffure égyptienne aux pans d'étoffe retombant de chaque côté du visage ; utilisée comme motif décoratif dans les bronzes Directoire et Empire.

L

Lampas. Tissu d'ameublement utilisé aux XVIIe et XVIIIe siècles à fond de satin et dont le dessin est formé par les fils de la trame.

Lambrequins. Parties de draperie garnies de franges et de glands suspendus à une embrasure de fenêtre ou à un ciel de lit ; inspira des motifs décoratifs Renaissance, Louis XIV ou Louis XVI.

Lapis-lazuli. Pierre dure et fine, bleu azur, utilisée soit en cabochon soit en incrustation.

Laurier. Feuillage tressé en couronne ou en guirlande faisant partie du répertoire décoratif antique, Louis XIV et Empire ; symbole de la victoire et du commandement.

Layetier. Menuisier spécialisé dans l'exécution des tiroirs et des caises.

Layette. Tiroir de meubles, caisserie.

Lectrin. Meuble du Moyen Age se présentant sous la forme d'un pupitre à plusieurs pentes supporté par un piétement : ancêtre du lutrin.

Licier ou **Lissier.** Artisan tissant des tapisseries.

Lion (mufle de). Motif ornemental employé notamment sous la Renaissance et l'Empire.

Liseuse. Petite table équipée d'un pupitre à chevalet née dans la seconde partie du XVIIIe siècle.

Losange. Motif ornemental géométrique utilisé en incrustations ou marqueteries, en particulier sous le règne de Louis XVI, le Directoire et la Restauration.

Lutrin. Pupitre de lecture, né au XVIIe siècle, supporté par un piétement tripode se poursuivant par un fût central ; destiné à recevoir les imposants livres de prières.

Lyre. Ornement décoratif de la forme de l'instrument de musique, utilisé dans les styles néo-classiques. Certains dossiers de sièges, notamment Louis XVI, présentent également cette forme.

M

Main pendante. Sorte de poignée de tirage rectangulaire née à la fin du XVIIIe siècle.

Manchette. Petit coussin rembourré garnissant les accotoirs.

Mascaron. Motif décoratif représentant une tête humaine souvent en forme de masque aux traits accentués, inscrit dans un médaillon, en usage notamment à la Renaissance et durant le règne de Louis XIV.

Masque. Motif ornemental représentant une tête humaine de face, entourée de rayons disposés en éventail. D'abord utilisé sous Louis XIV, on le retrouva dans le style Louis XVI, la tête étant le plus souvent à cette époque une tête de femme.

Massif (bois). Par opposition à bois de placage.

Méandre. Motif d'ornementation formé de fragments de lignes brisées, diversement contournées ou entrecroisées.

Médaillon. Motif ornemental circulaire ou ovale, sculpté de décors divers; en usage dans les styles Renaissance et néo-classiques.

Médaillon (dossier). Qualifie les dossiers ovales de certains sièges Louis XVI.

Meublant. S'applique à des meubles destinés à rester à une place fixe par opposition aux meubles volants susceptibles d'être déplacés.

Meubles de milieu. Voir à «entre deux».

Meuble à hauteur d'appui. Voir à «appui».

Montants. Pièces verticales de l'ossature d'un meuble.

Mosaïque. Ouvrage fait de pièces disposées de façon à reproduire des motifs décoratifs. En marbre ou en pierres dures, les mosaïques ornent certains meubles précieux ou plateaux de tables.

Moulure. Saillie à profil droit, concave ou convexe plus ou moins large, unie ou décorée ornant les panneaux ou toute autre partie des meubles.

Moyen relief. Procédé de sculpture dans lequel la figure exécutée se détache du fond plus nettement que dans le procédé du bas-relief et moins nettement que dans celui du haut-relief ou de la ronde bosse.

Mufle (d'animal). Motif ornemental gravé ou sculpté en moyen relief représentant un mufle d'animal réel (comme le lion, le bouc ou le taureau) ou fantastique.

N

Nacre. Substance calcaire secrétée par les coquillages; les tabletiers, depuis le XIVᵉ siècle, l'utilisent dans l'art du meuble pour les incrustations ou marqueteries.

Naturel (décor au). Qualifie un décor qui cherche à se rapprocher le plus possible de la nature, par opposition au décor stylisé; s'applique le plus souvent au décor floral.

Néo-classique. Se dit des styles inspirés de l'antiquité après la mise au jour des ruines d'Herculanum et de Pompéi (1719 et 1748). S'applique au style Louis XVI notamment.

Nervures. Reliefs formés par les côtes creusées dans le bois.

Niche. Enfoncement, emplacement creux ménagé à l'intérieur d'un meuble – souvent un cabinet – parfois encadré de pilastres et destiné à recevoir un ornement (statue, vase).

O

Ogive. Voûte ou arcade composée de deux portions d'arcs égaux se coupant à angle aigu, employée au Moyen Age, reprise dans le style troubadour ou néo-gothique.

Onyx. Variété d'agate, généralement de couleur noire, en vogue sous l'Empire; également utilisé par les artistes Art Déco.

Orbevoie. Motif ornemental en forme d'arcade ou de fenêtre simulée, fréquent dans les styles gothique et néo-gothique.

Oreilles. Dans un fauteuil «en confessionnal», panneaux embourrés ou matelassés perpendiculaires au dossier fixés à hauteur de tête.

(d') Origine. Synonyme d'époque, du moment de la construction du meuble, qui n'a été ni réparé, ni restauré.

Ornemaniste. Nom employé aux XVIIe et XVIIIe siècles pour désigner un dessinateur-décorateur-ensemblier.

Orphelin. Se dit d'un siège (chaise ou fauteuil) ou d'une encoignure, d'un meuble d'appui ou d'entre-deux unique, qui a perdu son pendant.

Os de mouton (piètement en). Forme de piètement en volutes et contre volutes prononcées; utilisé pour les sièges Louis XIII et Louis XVI.

Ossature. Synonyme de bâti ou de structure. Partie constituant la charpente du meuble où viennent se fixer les panneaux, sièges ou dossiers.

Ottomane. Grand siège, né vers 1730, à dossier concave dont le retour dessine deux demi-cercles à l'aplomb des pieds antérieurs.

Oves. Motif ornemental affectant la forme d'un œuf, le plus souvent utilisé dans les frises en alternance avec des languettes, des dards aigus ou des feuilles d'eau. Fréquemment employé dans les syles classiques, Renaissance et Louis XVI notamment.

P

Palme. Motif d'ornementation en forme de feuille de palmier que l'on trouve, entre autres, dans la composition de certains trophées.

Palmette. Motif d'ornementation formé de petites palmes employé dans divers styles néo-classiques, sous la Restauration notamment. Souvent les palmettes sont inscrites dans une courbe ogivale se composant de plusieurs tiges recourbées, cinq ou plus, reliées par une sorte d'agrafe; la partie inférieure s'enroule en rinceaux.

Pampres (décor de). Motif ornemental représentant des sarments de vigne garnis de feuilles et de grappes.

Pan coupé. Surface oblique placée entre deux plans perpendiculaires pour que ces deux plans ne se rencontrent pas en angle droit.

Panneau. Surface de bois massif ou de placage constituant la façade, le dos, les côtés et les fonds des meubles.

Paphose. Sorte d'ottomane.

Paravent. Petit meuble constitué de plusieurs feuilles réunies par des charnières décorées de papier peint, de toile peinte, de tapisserie ou de panneaux laqués. Le cadre peut également porter de nombreuses sculptures. Les paravents furent utilisés notamment aux XVIIe et XVIIIe siècles et remis au goût du jour par les artistes de la période Art Déco.

Parchemin plié (ou plissé). Motif ornemental sculpté en bas relief, en usage au Moyen Age et rappelant un parchemin plié ou roulé; ce motif est appelé aussi «plis de serviette».

Parclose. Ensemble des traverses horizontales et verticales encadrant un panneau de bois.

Parquetage. Action de renforcer un panneau en le garnissant au dos de traverses.

Passementerie. Art d'orner les tissus par des franges, des galons et des glands en soie, laine ou coton.

Pastorales. Scènes représentant bergers, bergères et troupeaux puis, par extension, scènes de travaux des champs, mises à la mode par certains peintres décorateurs comme Pillement et Boucher.

Pâte tendre. Variété de céramique, située entre la faïence et la porcelaine, utilisée dans le mobilier sous forme de plaques décorées pour rehausser certains meubles.

Patine. Aspect extérieur d'un meuble ou d'un accessoire donné naturellement (ou artificiellement) par l'usage, le polissage, l'oxydation et autres agents chimiques naturels. Preuve d'une origine ancienne et élément valorisant, les patines sont parfois accentuées, voire créées par des antiquaires ou des brocanteurs peu scrupuleux.

Peintre-doreur. Corporation attachée à la peinture et à la dorure des meubles, particulièrement active sous le règne de Louis XV.

Pendant. S'applique à chacun des meubles, objets ou tableaux conçus pour former, par paire, un ensemble symétrique. Les meubles formant pendants sont le plus souvent des meubles d'appui, meubles d'entre-deux, encoignures, consoles, commodes, etc..

Pentures. Bandes de métal, généralement en fer forgé, renforçant l'assemblage des panneaux de bois. Les pentures étaient surtout utilisées au Moyen Age, lorsque les assemblages étaient précaires, le plus souvent à joints vifs.

Perles (rang de). Motif décoratif composé d'une suite de petites boules sphériques ou ovoïdes rappelant les perles; en usage dans les styles néo-classiques.

Piastres (chapelet de). Motif décoratif composé d'une suite de petits disques plats ressemblant à des pièces de monnaies; en usage dans les styles néo-classiques.

Pierres dures. Pierres semi-précieuses, variétés de quartz parmi lesquelles on compte l'agate, le cristal de roche, le lapis-lazuli, l'améthyste, la calcédoine, etc. Elles sont appliquées en cabochon ou incrustées dans les meubles du XVIIᵉ siècle notamment, pour en rehausser le décor.

Piétement. Désigne les entretoises, traverses et pieds d'un meuble.

Pinacle. Couronnement d'un contrefort en forme de cône.

Placage (bois de). Par opposition au bois massif, mince feuille de bois ou d'autre matière destinée à recouvrir une surface faite d'un matériau moins noble et plus solide.

Placet. Tabouret à quatre pieds en X, non pliant, utilisé sous le règne de Louis XIV.

Plateau. Panneau horizontal d'un meuble (tables, commodes, secrétaires, buffets bas) servant à poser des objets.

Ployant. Tabouret pliable au piètement en X.

Poignée de tiroir (ou de tirage). Objet fixe ou mobile généralement en métal (fer, cuivre ou bronze) disposée pour être tenue la main serrée.

Pointe de diamant. Motif décoratif, sculpté en forme de pyramide tronquée, utilisé sous Louis XIII et plus tardivement pour décorer de nombreux meubles régionaux.

Polychrome. De plusieurs couleurs, par opposition à monochrome.

Pomme de pin. Motif ornemental en forme de cône renflé, couvert d'écailles. Utilisé dans les frises, rosaces et amortissements néo-classiques.

Ponteuse. Sorte de voyeuse dont la manchette est équipée d'un coffret à jetons.

Porcelaine (décor de). Art de la céramique, découvert probablement en Chine, qui connut un grand succès en Europe. Réinventé en Allemagne par J.-F. Böttger en 1709, le procédé a été appliqué en France à la fin du XVIIIᵉ siècle. Permettant d'obtenir des décors plus précieux, plus élaborés qu'avec la faïence, la porcelaine fut utilisée sous forme de plaques carrées, rectangulaires, ovales ou rondes pour rehausser le décor de meubles Transition, Louis XVI, puis Napoléon III.

Porphyre. Pierre dure de couleur rouge ou verte parsemée de taches claires, utilisée pour exécuter des sculptures, objets d'art et d'ameublement mais aussi pour rehausser le plateau de certains meubles.

Postes. Motif d'ornementation néo-classique formé d'enroulement successifs, rappelant des vagues et se reliant de façon continue.

Prie-dieu. Voyeuse aux pieds courts permettant de s'agenouiller.

Psyché. Miroir dans un cadre monté sur pivot; né sous le règne de Louis XVI et très usité sous l'Empire et la Restauration.

Pupitre. Petit meuble présentant un plan incliné destiné à recevoir un livre ou du papier. Certains pupitres sont équipés de systèmes à crémaillère permettant de faire varier l'angle d'inclinaison du plateau.

Q

Quadrillage (décor de). Décor formé d'un ensemble de lignes divisant une surface en quadrilatères. Utilisé notamment dans les marqueteries Transition et Louis XVI.

Quatre feuilles ou Quartefeuille (décor de). Motif d'ornementation formé de quatre arcs de cercle, mais aussi ornementation en forme de fleur à quatre feuilles ou pétales. Employé dans les marqueteries Transition, Louis XV, et Louis XVI.

R

Rafraîchissoir. Variété de petite table munie de cuves de métal où l'on faisait rafraîchir les bouteilles dans de l'eau et de la glace.

Rainure. Moulure creuse et fine.

Rais-de-cœur. Motif décoratif néo-classique en forme de cœur, composé de fleurons alternant avec des feuilles d'eau.

Rechampir. Pour les décors peints, détacher certaines lignes ou surfaces du fond en accentuant le trait ou l'opposition des couleurs. Cette opération s'effectuait souvent sur les sièges du XVIIIe siècle.

Rehauts. Touches brillantes accentuant le modelé d'un objet sculpté ou peint.

Reine (à la). Qualifie un dossier droit et large, légèrement incliné.

Relief. Voir «Moyen relief».

Rembourré (ou embourré). Garni de touffes de crins ou de morceaux de tissus.

Renflement. État de ce qui est bombé. Les pieds à double renflement, nés au début du XIXe siècle, sont dits «à la Jacob» du nom de la fameuse dynastie d'ébénistes qui les aurait inventés.

Renommée. Motif décoratif : personnage allégorique représenté par une femme vêtue d'une robe longue, embouchant une trompette.

Réserve (en). Partie ménagée se détachant du fond dans laquelle s'inscrit un décor différent.

Ressaut. Synonyme de saillie. Certains tabliers de commode d'époque Transition Louis XV-Louis XVI présentent un ressaut central caractéristique de cette période.

Restauration. Réparation (reconstitution) exécutée dans l'esprit de l'époque où a été créé le meuble.

Rideau. Panneau mobile composé de lamelles masquant et démasquant des casiers de bureaux, secrétaires et bonheur-du-jour.

Rinceau. Motif ornemental composé de tiges fleuries disposées par enroulement;

traités de différentes manières, les rinceaux ont été utilisés à toutes les époques.

Rocaille. Qualifie le style Louis XV caractérisé par les enroulements, les courbes et contrecourbes, l'asymétrie et l'exubérance des sculptures.

Rognon. Petite table de salon née au XVIIIe siècle en forme de haricot ou de rein; synonyme de «en haricot».

Ronde bosse. Procédé de sculpture où la figure n'est plus reliée à aucune surface et peut être regardée sous tous les angles.

Rosace. Motif décoratif circulaire en forme de rose ou d'étoile à plusieurs branches.

Rotin. Tige d'un arbrisseau utilisée d'abord pour tresser des fonds à des sièges ou des plateaux de table. Sous le Second Empire, ce sont de petits meubles de jardin légers qui sont entièrement réalisés en rotin.

Rubans (nœuds de). Motif décoratif néo-classique.

Rudentée. Qualifie une cannelure en creux dont l'extrémité supérieure est coupée perpendiculairement à l'axe ou en sifflet et dont la partie inférieure est remplie par une baguette plate ou convexe; fréquente dans le style Louis XVI.

S

Sabot de biche. Motif décoratif en forme de sabot fourchu qui termine les pieds de certains types de sièges. Le sabot peut être sculpté en plein bois ou exécuté en bronze pour chausser l'extrémité du pied.

Salon. Ensemble de sièges composé de plusieurs chaises, de fauteuils par paires et d'un ou plusieurs canapés.

Sauteuse (commode). Qualifie une commode dont la caisse – le plus souvent à deux tiroirs sans traverse – est portée par des pieds hauts, qui donnent au meuble la silhouette d'un animal à longues pattes.

Selle. Sorte de tabouret du Moyen Age à trois pieds obliques.

Semainier. Petit meuble de rangement à sept tiroirs né dans la seconde partie du XVIIIe siècle.

Serre-papiers. Meuble formé de plusieurs tablettes né au XVIIIe siècle.

Serviteur muet. Table à ouvrage de la fin du XVIIIe siècle, composée d'un fût sur lequel sont disposés plusieurs plateaux en étages.

Sèvres. Manufacture de céramique et de porcelaine qui produisit des plaques à décor polychromes ornant des meubles Louis XVI et Napoléon III.

Sirène. Animal fabuleux à figure humaine et corps de poisson du répertoire décoratif antique, réemployé à la Renaissance et dans les styles néo-classiques.

Sofa. Siège à plusieurs places, au dossier muni de joues rembourrées, né au XVIIe siècle.

Sphère armillaire (à). Décor figurant un globe entouré de plusieurs cercles, symbolisant le ciel et les astres.

Sphinge. Animal fabuleux, femelle du sphinx.

Sphinx. Animal fabuleux à figure d'homme et corps d'animal, emprunté à l'archéologie égyptienne et repris dans le répertoire décoratif du Directoire, du Consulat et de l'Empire.

Sultane. Sorte de chaise longue à deux chevets symétriques incurvés.

Supports (d'accotoirs). Pièces verticales s'élevant de la ceinture du siège et sur lesquelles vient s'appuyer l'accotoir parallèle à ce siège. Synonyme : console d'accotoir.

T

Tablette d'entrejambe. Plateau d'une petite table situé à la partie inférieure reliant les quatre pieds, consolidant le piétement et permettant de poser des objets.

Tabletterie. Travail de l'os, de l'ivoire, du bois et de la nacre s'appliquant à la réalisation de boîtes et étuis.

Tablier d'une commode. Façade d'une commode, ajourée sur certaines commodes provençales.

En tenaille (pour les sièges). Synonyme de sièges en X.

Terme. Buste humain décoratif, posé sur une gaine.

Thyrse. Sorte de tige ou javelot entouré de pampres et de lierre surmonté d'une pomme de pin, servant d'attribut à Bacchus et à ses adeptes.

Tirettes. Tablettes mobiles équipant certaines tables.

Torse. Moulure convexe en demi-circonférence.

Torsade. Motif d'ornementation imitant une corde tordue, utilisé dans le style Louis XIII.

Toupie (en). Forme triangulaire caractéristique de certains pieds de meubles Louis XVI.

Tourné. Moulure perpendiculaire à l'axe d'une pièce de bois à l'aide d'un tour.

Traverses. Pièces de bois horizontales reliant les pieds d'un siège pour les consolider ou les montants d'un meuble. Les traverses (synonyme d'entretoise) peuvent se présenter en H ou X.

Treillis. Motif décoratif composé de lignes entrecroisées régulièrement.

Tricoteuse. Petite table en forme de caissette sans couvercle née sous le règne de Louis XVI.

Trompe l'œil (en). Façon de peindre de manière à donner l'illusion du réel. On dit qu'une figure est exécutée en trompe l'œil pour indiquer qu'elle a été exécutée de façon à paraître réelle. Ce procédé a été utilisé pour décorer de perspectives et de colonnades les cabinets du XVIIe siècle.

Tronchin (à la). Meuble à écrire présentant plusieurs plateaux mobiles, le supérieur pouvant s'incliner en pupitre. Né à la fin du XVIIIe siècle.

Trophée. Motif de décoration formé d'armes groupées, reliées entre elles; par extension, désigne un groupe d'attributs symbolisant un art, un métier, un sentiment : trophée de chasse, de musique, etc.

Troubadour. S'applique au style néo-gothique né à la période romantique, s'inspirant du Moyen Age et de la Renaissance, appelé aussi style cathédrale.

Turquoise. Variété de la sultane.

U

Urne. A l'origine vase à large panse et courtes anses, utilisé dans l'antiquité pour recueillir les cendres des morts, ou... les bulletins de vote. Dans l'ameublement : motif décoratif en vogue dans les styles néo-classiques.

V

Vannerie (motif de). Décor imitant l'osier tressé, utilisé dans les arts décoratifs notamment à la fin du XVIIIe siècle et dans la seconde partie du XIXe.

Vantail (pl. vantaux). Panneau mobile se mouvant dans le plan vertical, servant à fermer un meuble.

Vase. Motif d'ornementation néo-classique.

Vase de fleurs. Motif d'ornementation qui selon certains historiens des arts décoratifs serait emprunté au lexique décoratif chinois (le rocher fleuri).

Veilleuse. Sorte de canapé à deux chevets apparu au XVIIIᵉ siècle dont certains exemplaires s'incurvent de façon à accueillir un dormeur.

Velours. Étoffe à laquelle vient s'ajouter un fil de trame (ou de chaine supplémentaire) qui forme une peluche velue. Le velours frappé est écrasé localement et le velours ciselé associe le velours bouclé et le velours coupé.

Vernis. Liquide à base d'alcool (ou d'essence de térébenthine) d'huile de lin, de gomme et de colophane destiné à protéger le bois ou tout autre matériau.

Vernis Martin. Vernis mis au point par les frères Martin vers 1730, à base de résine de copal et de gomme arabique, étendu sur des couches de feuilles de papier durcies; procédé mis au point pour imiter et concurrencer les laques de Chine et du Japon alors fort à la mode.

Verre peint (églomisé). Procédé décoratif diffusé au XVIIIᵉ siècle par l'encadreur parisien Jean-Baptiste Glomy; consiste à appliquer au revers d'un verre (sous-verre) une peinture à froid associée à des fonds brillants – argent ou or – et à du vernis noir.

Victoire ailée. Allégorie représentée sous la forme d'une jeune femme ailée, tenant des lauriers à la main. Cette allégorie, appartenant au répertoire antique, a été utilisée – bronzes décoratifs – dans les styles Louis XVI, Directoire et Empire.

Violonné. Se dit d'une forme sinueuse composée de courbes et de contrecourbes évoquant la forme du violon. En vigueur dans tous les styles baroques Louis XV, dans les pastiches Napoléon III et dans l'art 1900.

Volet. Dans les meubles, panneau mobile se mouvant dans le plan vertical, permettant d'agrandir une surface portante, le plateau des tables.

Volute (n.f.). Motif ornemental formé d'un enroulement en spirale, décorant plus particulièrement les consoles vues de profil.

Voyelle. Siège né au milieu du XVIIIᵉ siècle, doté d'un dossier garni d'une manchette sur laquelle s'accoudaient les spectateurs d'une partie de cartes, assis sur le siège à califourchon, la poitrine contre le dossier.

Voyeuse. Synonyme de voyelle.

Voyeuse à genoux. Voyeuse au siège bas utilisé comme prie-dieu.

Menuisiers et ébénistes

ADLER Rose (1892-1969). Plus connue comme relieur, Rose Adler réalise également des meubles géométriques en employant de nombreux matériaux nouveaux comme la laque industrielle (duco) ou la galalithe (matière à base de caséine et d'aldéhyde formique).

ADNET Jacques (né en 1900). Décorateur et architecte, adepte de la théorie fonctionnaliste, il créa des meubles sobres. Il exécuta des meubles pour la Présidence de la République et plusieurs paquebots.

ARBUS André (1903-1969). Architecte et décorateur, mais aussi fils et petit-fils d'ébéniste, André Arbus considère le meuble comme une entité indépendante et reste dans la tradition classique en utilisant des matériaux riches ou précieux.

AVISSE Jean (1723-1796). Menuisier en sièges, reçu maître en 1745. Exécuta de nombreuses pièces Louis XV et Louis XVI.

AVRIL Étienne (1748?-1796). Ébéniste français reçu maître en 1774. Réalisa, entre autres, des meubles pour la Cour caractérisés par des panneaux encadrés de baguettes de bronze, des commodes demi-lune et des petites tables de chevet fermant par des lamelles coulissantes. Un de ses frères, Pierre, exerça également la profession d'ébéniste.

BARBEDIENNE Ferdinand (1810-1892). Plus connu comme bronzier, il produisit également des meubles inspirés du style Renaissance où son génie de sculpteur pouvait se donner libre cours.

BAUDRY Charles (1791-1859). Ébéniste en activité sous Charles X et Louis-Philippe qui mit au point des meubles dits «ingénieux» dont des lits doubles, des échelles de bibliothèque, etc.

BELLANGÉ. Famille d'ébénistes qui exerça à la fin du XVIIIᵉ siècle et au XIXᵉ siècle. Pierre-Antoine (1758-1827) fut un des fournisseurs attitrés de Napoléon 1ᵉʳ puis de Charles X. Louis-François (1759-1827), frère de Pierre-Antoine, menuisier ébéniste est également menuisier en bâtiment. Alexandre-Louis (1799-1863), fils de Pierre-Antoine succéda à son père et à son oncle et fut l'un des principaux fournisseurs de la Monarchie de Juillet. Il possédait deux ateliers aux productions différentes, l'un se consacrant aux pièces en acajou, en orme ou en frêne, l'autre produisant des meubles dans le genre de Boulle ou à mosaïque à support de laque, décorés de porcelaines et de bronzes, inspirés de styles anciens, Louis XIV et néo-gothique.

BENEMAN ou **BENNEMAN Guillaume** (?-1803). Ébéniste du XVIIIᵉ siècle d'origine allemande, reçu maître en 1785, exerça pour la Cour sous le règne de Louis XVI, puis sous le Directoire, notamment en association avec le bronzier THOMIRE.

BEURDELEY. Famille d'ébénistes et de bronziers français. Alfred (1808-1882) et Alfred II (1847-1919) qui réalisa au XIXe siècle des meubles de style Louis XVI de haute qualité d'exécution, notamment des pièces imitées des créations de Cressent et de Weisweiler..

BOULLE André-Charles (1642-1732). Ébéniste, fils de menuisier, diffusa en France une technique – née en Italie et en Hollande – qui porta son nom, la fameuse marqueterie Boulle consistant à incruster les meubles d'écaille, d'étain ou de cuivre. Premier ébéniste de Louis XIV, il publia un recueil de *Nouveaux dessins de meubles et ouvrages de bronze et de marqueterie.* Ses quatre fils poursuivirent son œuvre. Les marqueteries dans le genre de Boulle eurent également du succès sous le règne de Louis XVI et sous celui de Napoléon III.

C

CANABAS Joseph. Ébéniste français, reçu maître en 1766, spécialisé dans la production de meubles Louis XVI en placage d'acajou satiné ou de fines marqueteries.

CARABIN François-Rupert (1862-1932). Sculpteur et ornemaniste considéré comme une des figures de proue du mouvement «Art Nouveau». Il exécuta des meubles-sculptures ou des sculptures formant meubles plutôt que de surajouter un décor sur un bâti immuable.

CARLIN Martin (1730?-1785). Reçu maître en 1765, excella dans la production de meubles précieux rehaussés de riches marqueteries, de panneaux de laque ou encore de plaques de porcelaine de Sèvre.

CHANAUX Alfred (1887-1965). Dessine des meubles pour quelques grands créateurs de la période «Art Déco»: Groult, Ruhlmann, Printz et Franck...

CHAREAU Pierre (1883-1950). Architecte et décorateur du mouvement «Art Déco» influencé par le cubisme. Il crée des meubles conçus selon un programme défini en fonction de l'ensemble dont ils feront partie. Refusant l'ornement inutile, il emploie des matériaux précieux et crée des meubles à combinaison qui se veulent pratiques.

COARD Marcel (1889-1975). Influencé à la fois par les arts dits «primitifs» et le cubisme, Marcel Coard crée des meubles aux formes épurées dans des matériaux précieux, et utilise également le verre.

CRESSENT Charles (1685-1768). Ébéniste le plus représentatif de la période Régence, qui fut l'élève de Boulle. On lui attribue la naissance de la commode en façade en arbalète et l'utilisation décorative des bronzes ciselés et dorés dont les fameuses espagnolettes.

CRIAERD ou **CRIAERDT** ou **CRIARD.** Famille de menuisiers et d'ébénistes français du XVIIIe siècle d'origine flamande, fabricants de meubles de luxe, certains à décor de laque sur fond vert ou jaune dans le goût chinois.

D

DAGUERRE. Fameux marchand mercier exerçant sous le règne de Louis XVI qui diffusait les meubles des ébénistes célèbres et moins célèbres.

DASSON Henri (1825-1896). Ébéniste et bronzier qui réalisa au XIXe siècle des copies de pièces du XVIIIe souvent d'après des modèles conçus pour la Cour.

DELANOIS Louis (1731-1792). Menuisier en sièges, reçu maître en 1761, l'un des fournisseurs de Madame du Barry, il fabriqua des meubles Louis XV puis néoclassiques et fut l'un des premiers à créer des sièges aux pieds fuselés et cannelés.

DEMAY Jean-Baptiste. Menuisier en sièges du XVIIIe siècle, reçu maître en 1784, fournisseur de la Cour, on lui doit des sièges aux dossiers en éventail ou en forme de montgolfière, motif à la mode depuis l'envol des premières montgolfières en 1783.

DESMALTER voir Jacob.

DIEHL Charles-Guillaume. Exerça du milieu à la fin du XIXᵉ siècle, se spécialisant dans les petits meubles pour lesquels il employait fréquemment le bois de rose, le thuya, la porcelaine et le bronze.

DUBOIS. Famille d'ébénistes français : Jacques (1693-1763), et René (1737-1799). Ils créèrent des meubles de luxe ; les plus appréciés étaient recouverts de panneaux de laque.

DU CERCEAU Jacques Androuet (1510-1588). Architecte français, formé en Italie, il publia plusieurs recueils d'estampes dont s'inspirèrent les menuisiers et sculpteurs de la Renaissance française.

DUNAND Jean (1877-1942). Dinandier et laqueur, célèbre par sa seconde spécialité qu'il appliqua à toutes sortes de meubles et à la décoration des grands paquebots, dans la première moitié du XXᵉ siècle.

DURAND. Famille d'ébénistes parisiens qui exerça au XIXᵉ siècle. Louis débuta à la fin du XVIIIᵉ et n'atteint une certaine notoriété que sous la Restauration, devenant le fournisseur attitré de Louis-Philippe. Son fils Prosper-Guillaume lui succéda.

F

FEURE Georges de (1868-1943). Un des artistes décorateurs «Art Nouveau» qui s'adapta naturellement au mouvement Art Déco.

FOLIOT. Dynastie d'ébénistes et menuisiers du XVIIIᵉ siècle qui travailla sous les règnes de Louis XV et de Louis XVI.

FOLLOT Paul (1877-1941). Élève de Grasset, beau-frère du couturier Paul Poiret, Paul Follot dirigea l'atelier du Bon Marché

et utilisa des matériaux rares et précieux pour créer des meubles inspirés des styles néo-classiques.

FOURDINOIS Alexandre-Georges (1799-1871). Important fabricant de meubles du Second Empire, sculpteur et tapissier qui exécuta des meubles de tous les styles. Son fils, Alexandre-Georges (1830-?) lui succéda et exerça jusqu'en 1887.

FRANCK Jean-Michel (1893-1941). Décorateur qui connaît une certaine notoriété à partir de 1927 et réalise des meubles aux formes simples utilisant des matériaux riches et, à l'occasion, pour la décoration, le procédé de la marqueterie de paille.

G

GALLÉ Émile (1846-1904). Phare du mouvement «Art Nouveau», chef de file de l'École de Nancy, Émile Gallé réalisa – outre ses fameuses verreries – de nombreux meubles sculptés ou marquetés. Il donne aux meubles des formes directement inspirées de la nature (plantes et animaux aquatiques notamment) ; les décors font également appel aux paysages, plantes et fleurs. Certaines pièces sont incrustées de vers célèbres ou de formules symbolistes.

GAILLARD Eugène (1862-1933). Décorateur français représentatif avec Gallé et Guimard du mouvement «Art Nouveau».

GARNIER Pierre (1720-1800). Ébéniste spécialisé dans la production de meubles de petite taille, marquetés ou garnis de plaques de Sèvres.

GAUDREAUX Antoine (1680-1751). Ébéniste travaillant pour le garde-meuble de la Cour : il participa à la naissance du style Louis XV.

GAY Georges. Vers la fin du XVIIIᵉ siècle il inventa une sorte de guéridon à transformations multiples, la table-soleil pouvant servir de table à déjeuner, pupitre à musique, chevalet de peintre, table de nuit, pupitre de lecture, table à écrire debout.

GIROUX Alphonse et Cⁱᵉ. Famille de tablettiers et ébénistes du XIXᵉ siècle qui produisit plus particulièrement des petits meubles et compta la famille impériale (Napoléon III et Eugénie) dans sa clientèle.

GOURDIN. Famille de menuisiers en sièges qui exercèrent au XVIIIᵉ siècle.

GRAY Eileen (1879-1976). Artiste irlandaise installée à Paris qui, comme Jean Dunand, apprit l'art de la laque du Japonais Sugawara. Influencée par les arts dits «primitifs» et l'abstraction, elle dessine des meubles qui sont presque tous des pièces uniques.

GROHE. Dynastie parisienne d'ébénistes, active de 1830 à 1884 qui réalisa notamment des meubles inspirés des styles en vigueur au XVIIIᵉ siècle.

GROULT André (1884-1967). Décorateur de la première moitié du XXᵉ siècle, il dessina des meubles d'inspiration néo-classique fabriqués dans des matériaux prisés par les créateurs «Art Déco».

GUIMARD Hector (1867-1942). Architecte et décorateur représentatif de la période «Art Nouveau» à qui l'on doit, entre autres, les grilles d'entrée des stations du métropolitain parisien. Dans la dernière partie de sa carrière il se convertira à l'«ascétisme» et au fonctionnalisme «Art Déco».

HACHE. Dynastie d'ébénistes grenoblois qui exercèrent au XVIIIᵉ siècle. Leur production marquetée se caractérise par des encadrements de filets noirs.

HERBST René (1891-). Architecte et décorateur, créateur de meubles, cherche à concilier la beauté du matériau et un prix abordable pour un plus grand public, en renonçant à l'ornement. Il est l'un des premiers à utiliser le mariage bois/métal mais créera également des pièces en matériaux précieux.

IRIBE Paul (1883-1935). Dessinateur, décorateur, journaliste, caricaturiste, Paul Iribe travaille en compagnie de Pierre Legrain pour le couturier Paul Poiret puis pour Jeanne Lanvin, Coco Chanel ou encore Jacque Doucet qui lui confiera l'installation de son nouvel appartement. Il créera un motif qui restera un des symboles de la période «Art Déco», une rose stylisée, la rose de Paul Iribe. Ses meubles précieux s'inspirent des formes néo-classiques de la fin du XVIIIᵉ siècle.

JACOB. Dynastie de menuisiers et d'ébénistes en activité du règne de Louis XV à la Restauration. Georges (1739-1814) fut reçu maître en 1765, il réalisa de nombreux sièges d'abord rocaille, puis néo-classique. Georges Jacob Fils (1768-1803) et son frère François-Honoré (1770-1841) continuent l'entreprise familiale rue Meslée sous le Directoire. François-Honoré associe à son nom celui de Desmalter après la mort de son frère aîné. En collaboration avec le peintre David, Jacob Desmalter crée de nouveaux modèles inspirés de l'antiquité, fournit la Cour impériale. Georges Alphonse, son fils, servira la Restauration.

JANSEN Michel. Ébéniste et dessinateur qui produisit de nombreux meubles courants sous la Restauration en utilisant l'érable, le citronnier et l'acajou. Michel Jansen est également l'auteur d'un ouvrage sur l'ébénisterie (1835).

JEANSELME. Famille parisienne d'ébénistes en activité de 1824 à la fin du XIXe siècle, ils rachètent le fonds de la maison Jacob en 1847. Fournisseurs des cours de Louis-Philippe et de Napoléon III ils réalisent des meubles de styles, des pastiches et des créations originales surtout sous la Restauration.

JOURDAIN Francis (1876-1958). Adepte du fonctionnalisme, Francis Jourdain est un des architectes d'intérieur qui marquent le plus l'entre-deux guerres. Il s'intéresse et favorise la fabrication en série, même s'il lui arrive de créer des meubles précieux pour une clientèle riche. On lui doit aussi une pièce équipée de meubles combinables et interchangeables.

K

KNOLL. Société d'édition de mobilier contemporain fondée à New-York en 1938 qui créa en collaboration avec des artistes connus comme E. Saarinen ou C. Pollock une ligne nouvelle de meubles contemporains, en bois stratifié ou en coquilles de plastique ou encore en acier, polyester, fibre de verre, aluminium ou acier chromé.

KOLPING ou **COLPING Othon** (1775-1853). Menuisier et ébéniste qui exerça entre 1800 et 1848 et fabriqua notamment des bureaux cylindre et des armoires à glace en acajou ou en bois clairs.

L

LACROIX (Roger VANDERCRUSE dit) (1728-1799). Ébéniste dont l'une des sœurs épousa successivement Jean-François Oeben puis le célèbre Riesener. Roger Lacroix, dont l'estampille se composait des lettres RVLC, créa des meubles d'excellente qualité, marquetés de fleurs ou de motifs géométriques. Un de ses décors les plus remarquables consistait en filets bleu vif disposés en losanges entre lesquels des fleurettes de mème couleur se détachent sur un fond bleu pâle.

LEGRAIN Pierre (1889-1929). Plus connu comme concepteur de reliures, Pierre Legrain compte aussi parmi les grands créateurs de la période «Art Déco», sous la double influence du Cubisme et des «arts primitifs».

LE CORBUSIER (Charles-Édouard JEANNERET, dit) (1887-1965). Ce fameux architecte professa l'intégration de l'ameublement à l'architecture et travailla avec Pierre Jeanneret et Charlotte Perriand, employant le métal, le verre et le cuir pour des meubles fonctionnels édités par la maison Thonet.

LELEU Jean-François (1729-1807). Ébéniste reçu maître en 1764, élève de Oeben, réalisa des meubles Louis XV et Louis XVI laqués, en marqueterie ou en placage d'acajou.

LELEU Jules (1883-1961). Inspiré par les formes néo-classiques de la fin du XVIIIe siècle, Jules Leleu compte parmi les grands maîtres de l'«Art Déco» et travaille, entre autres, à la décoration de grands paquebots. Son fils André poursuivra son œuvre après la guerre de 1945.

LEMARCHAND. Famille d'ébénistes parisiens qui eurent une grande activité entre 1790 et 1850. On leur doit – c'est à l'origine de leur renommée – la réalisation du cercueil où repose Napoléon Ier aux Invalides.

LEVASSEUR Étienne (1721-1798). Élève d'un des fils de A.C. Boulle, il fut reçu maître eu 1766 et fournit des meubles pour le Petit Trianon et le château de Fontainebleau. Il fut l'un des premiers à utiliser l'acajou massif selon un usage venu d'Angleterre.

LINCKE. Ébéniste en activité de 1880 à la Grande Guerre (1914-1918), spécialisé dans les productions de style rocaille, où les bronzes dorés font l'objet d'un usage intensif.

M

MAJORELLE Louis (1859-1926). Tête de file avec Émile Gallé du mouvement «Art Nouveau», il sut évoluer et s'intégrer aux formes «Art Déco».

MALLET STEVENS (1886-1945). Surtout connu en qualité d'architecte, Mallet-Stevens s'intéresse à la décoration intérieure et à la création de meubles fonctionnels. A la rigueur des formes il alliera la richesse des matériaux qui donnera à ses productions un aspect moins austère.

MAZAROZ Jean-Paul. Sculpteur et ébéniste de la seconde moitié du XIXᵉ siècle, originaire du Jura, qui produisit des meubles imitant ou pastichant les œuvres de la Renaissance..

MIGEON. Dynastie de menuisiers et ébénistes français tous prénommés Pierre en activité au XVIIIᵉ siècle. Le principal, Pierre II (1701-1758) fut un des meilleurs représentants du style rocaille et compta parmi les fournisseurs de Madame de Pompadour. Il fabriqua notamment de petits meubles à systèmes, en bois précieux. La famille Migeon, pratiquant la sous-traitance, diffusa également des meubles fabriqués par d'autres ébénistes.

MOLITOR Bernard (? -1833). Ébéniste d'origine allemande qui se fixa à Paris en 1773 en compagnie de son frère Michel. Considéré comme un des plus grands ébénistes de son temps il employa dès 1790 des motifs «Empire». Ce fut l'un des rares ébénistes à rester fidèle aux Bourbons et à ne pas servir tous les régimes qui se succédèrent.

MONBRO. Famille d'ébénistes, restaurateurs et antiquaires en activité entre 1830 et 1870. Fournisseurs du garde-meubles de la couronne, Georges et son fils fabriquèrent des pièces en laque de Chine inspirées des styles royaux, des meubles dans le genre de Boulle ou de style Louis XVI.

N

NADAL. Famille de menuisiers parisiens – Jean, dit Nadal l'aîné, et Jean-René (1733-1783) – qui travaillèrent pour la Cour et quelques-uns des grands du royaume.

NIVERT. Ébéniste qui exerça au XVIIIᵉ siècle et inventa sous Louis XVI une table de nuit pouvant servir de bureau, de fourneau et de poêle.

O

OEBEN Jean-François (1720-1763). Ébéniste d'origine allemande qui travailla en France où il fut reçu maître en 1761. Il fut l'élève d'un des fil d'André-Charles Boulle et fut l'un des fournisseurs de Madame de Pompadour. Représentatif du style de Transition, il excella dans les meubles marquetés de damiers ou de fleurs. Créateur de génie, il invente quelques meubles à systèmes mécaniques. Louis XV lui commanda un bureau cylindre qui fut terminé par J.H. Riesener.

OPPENORDT Gilles-Marie (1672-1742). Ébéniste français né d'une famille hollandaise d'origine qui fut l'un des créateurs du mouvement baroque, dit aussi rocaille.

P

POMMIER. Ébéniste qui exerça sous le Consulat et l'Empire et inventa un canapé qui porte son nom, équipé d'un dossier assez bas sur les côtés revenant en avant et remplaçant ainsi les accotoirs. Le nom de ce siège est parfois orthographié Paumier ou Paulmier.

PERRIAND Charlotte (née en 1903). Collaboratrice de Le Corbusier, elle travailla avec le cousin de ce dernier, Pierre

Jeanneret, à la réalisation de meubles pratiques, fonctionnels et transformables dont certains sont édités par la maison Thonet.

PETIT Nicolas (1732-1791). Ébéniste français reçu maître en 1761, représentatif des styles Transition et Louis XVI.

PINARD. Fabricant de meubles de fantaisie qui exerça entre 1848 et 1853. Il exécuta plus particulièrement des meubles en laque et en tôle vernie.

PLUVINET (?-1784). Menuisier reçu maître en 1775.

PRINTZ Eugène (1889-1948). Ébéniste, fils d'un ébéniste du faubourg Saint-Antoine, un des maîtres de la période «Art Déco» pour qui l'ornement n'est pas à rejeter. Sa production relève de deux genres : l'un simple, l'autre riche et quelque peu sophistiqué.

R

RATEAU Armand-Albert (1882-1938). Dessinateur, ébéniste et décorateur de la période «Art Déco» dont la production très originale, inspirée de l'antiquité, se situe en marge du mouvement. Dans les matériaux, il privilégia l'usage du bronze vert antico, le bois laqué d'or, l'ivoire, le marbre ou le chêne massif.

REMOND Félix (1779-1860/?). Compte parmi les principaux fabricants de meubles sous la Restauration.

RIESENER Jean-Henri (1734-1806). Le plus grand ébéniste de tous les temps aux yeux des spécialistes. Né en Allemagne, il collabora avec Oeben avant d'être reçu maître en 1768. Fournisseur de la Cour, ébéniste de la Reine (1776), il créa de nombreux modèles plus somptueux les uns que les autres, décorés de bronzes, de plaques de porcelaine, de panneaux de laque ou de marqueteries aux compositions riches et équilibrées. L'ensemble de ses œuvres est réalisé dans des matériaux de haute qualité.

ROENTGEN David (1743-1809). Ébéniste-mécanicien allemand qui travailla notamment pour Louis XVI et Marie-Antoinette et d'autres cours européennes. Il se spécialisa dans les meubles à mécanisme et les productions luxueuses marquetées de fleurs.

ROUBO André-Jacob (1739-1791). Ébéniste, d'une famille de menuisiers, auteur d'un ouvrage fameux, publié de 1769 à 1775 : *L'art du menuisier*.

ROUSSEAU Clément (1872-1950). Sculpteur et dessinateur de la période «Art Déco» inspiré par les styles néo-classiques du XVIIIe siècle qu'il adapta aux matériaux «Art Déco» : galuchat, ivoire, cuir, mariés à des bois traditionnels, macassar, bois de violette ou moins fréquents comme le bois de palmier.

ROUSSEL Pierre (1723-1782). Un des plus fameux ébénistes du XVIIIe siècle, reçu maître en 1745, rendu célèbre par des marqueteries de haute qualité d'exécution.

RUBESTUCK François (1722-1785). Ébéniste d'origine allemande, reçu maître en 1766 qui réalisa des meubles Louis XV aux dimensions importantes, puis néo-classiques en moins grand nombre.

RUHLMANN Jacques-Émile (1879-1933). Décorateur et dessinateur qui domina la période «Art Déco» et fut ainsi surnommé le Riesener du 1925. Ruhlmann ne considérait pas le meuble comme un élément isolé mais comme faisant partie d'un ensemble cohérent. Sa production importante par le volume se caractérise par la rigueur et la pureté des formes, la richesse des matériaux et la perfection de l'exécution. Afin que ses créations souffrent le moins possibles des variations de température, il imagina des structures métalliques dans lesquelles les panneaux de bois pouvaient jouer.

S

SAMBIN Hugues (1515-1602). Architecte et sculpteur, maître de l'école bourguignonne et lyonnaise de la Renaissance, dont les œuvres sont caractérisées par l'abondance de la sculpture inspirée de l'antiquité. Son fils François exerça la profession de menuisier à Dijon au début du XVIIe siècle.

SAUNIER Claude-Charles (1735-1807). Ébéniste reçu maître en 1752, il est un des meilleurs représentants du style Louis XVI et produisit en particulier des bonheurs-du-jour et des consoles à étagères.

SELLIER (1806-1830). Ébéniste qui fabriqua sous la Restauration le canapé «confortable» sans bois apparent.

SORMANI Paul. Spécialiste de petits meubles de fantaisie, il produisit de 1847 à la fin du XIXe siècle des meubles de styles Louis XV et Louis XVI riches en bronzes dorés.

STOCKEL Joseph. Ébéniste d'origine allemande, reçu maître en 1775 il exécuta des meubles en acajou et placage d'acajou rehaussés de bronzes dorés.

SUE et MARE (1919-1928). Louis Sue (1875-1968) et André Mare (1885-1932) fondent en 1919 la Compagnie des Arts Français. Se situant dans la lignée des styles du XVIIIe, ils créent un style composite, empruntant à plusieurs sources, parfois divergentes.

T

TILLIARD. Famille de menuisiers en sièges qui exerça au XVIIIe siècle, fournisseurs de la Couronne.

TOPINO Charles (1725-1789?). Ébéniste français, exécuta de nombreux meubles marquetés et notamment des petites tables de salon, chiffonnières, secrétaires, etc.

V

VAN RIESENBURGH. Ébéniste qui signait BVRB, Hollandais d'origine, reçu maître en 1733, il fournit quelques-uns des meubles destinés au château de Versailles; sa production est d'un très haut niveau de qualité.

W

WAGNER ou **WAGENER Claude** (1775-1832). Élève de Jacob, il obtient en 1811 une médaille d'argent de la Société d'encouragement pour avoir trouvé un vernis, en fait une teinture qui élève les bois indigènes à la beauté des exotiques, qui les porte à la perfection et à la couleur de ceux des îles.

WASSMUS. Dynastie d'ébénistes parisiens qui exerça tout au long du XIXe siècle. Parmi les plus célèbres on compte Henri-Léonard, dessinateur de talent et fournisseur de Napoléon III qui exécuta des meubles de style, pour la plupart.

WEISWEILER Adam (1744-1820). Ébéniste d'origine allemande, reçu maître en 1778, auteur de meubles de qualité, certains destinés à Marie-Antoinette. Ses œuvres furent copiées au XIXe siècle notamment par les Beurdeley.

WERNER Jean-Jacques (1791-1849). Un des plus importants fabricants de meubles de la Restauration; né en Suisse et naturalisé en 1826, il contribua à faire passer de mode les meubles plaqués d'acajou et employa des bois indigènes comme l'if et le frêne.

Z

ZWIENER. Ébéniste, qui exerça entre 1880 et 1895. Il réalisa des copies de meubles de la Couronne conservés dans les musées, notamment celle du fameux bureau exécuté pour Louis XV. Il produisit également des meubles décorés en vernis Martin.

Estampilles d'ébénistes

G·BENEMAN

J·C·ELLAUME

J CANABAS

P·GARNIER

M·CARLIN

HACHE ·FILS—A·GRENOBLE

CRESSENT

G·IACOB

M·CRIARD

JACOB FRERES
RUE MESLEE

DEMAY
RUE·DE·CLERY

J DUBOIS

G·JANSEN

J·F·LELEU

MIGEON

B·MOLITOR

MONTIGNY

NOGARET·ALYON

J F·OEBEN

M·OHNEBERG

N·PETIT

J·PLEE

P H·POIRIE·

J·POTARANGE

G·RICHTER

J·H·RIESENER

C·C·SAUNIER

I·B·SENE·

J·STOCKEL

F·G·TE UNE

TILLIARD

C·TOPINO

B·V·R·B·

A·WEISWEILER

Index

Adler (Rose) : 65, 353

Adnet (Jacques) : 353

Afrique : 14, 15

Alep (brèche d') : 23, 24, 208

Allemagne : 139

Alsace : 66, 75, 76, 78, 79

Amérique : 15

Andalousie : 23

Androuet du Cerceau
(Jacques) : 63, 355

Angleterre : 56, 223, 269

Anguier : 64

Antilles : 15

Antin (duc d') : 168

Anvers : 139

Arbois : 87

Arbus (André) : 353

Arsenal : 27

Art 1900 (voir Art Nouveau)

Art déco : 15, 22, 31, 40, 51,
60, 63, 65, 66, 67, 68, 75,
93, 118, 129, 136, 149, 156,
170, 199, 203, 220, 235,
236, 237, 238, 240, 263,
264, 270, 314, 315, 319,

326, 328, 338, 343, 344,
346, 347

Art Nouveau : 12, 15, 22, 31,
40, 60, 63, 65, 67, 68, 71,
75, 93, 98, 99, 100, 103,
111, 116, 121, 129, 136,
170, 198, 199, 219, 224,
234, 235, 270, 310, 311,
312, 313, 319, 325, 340,
343

Asie : 14, 15, 40

Aubusson : 41, 279, 310

Audran (Claude) : 40, 64

Auvergne : 66, 106, 162, 214

Avisse (Jean) : 64, 353

Avril (Etienne) : 45, 193, 328,
353

Avril (Pierre) : 353

Bacchus : 53

Barbedienne (Ferdinand) : 353

Bardel : 22

Barry (Mme du) : 149

Baudin : 246

Baudry (Charles) : 353

Baudry (François) : 65

Bauhaus : 31, 93

Baume-les-Dames : 80

Beauvais : 41

Belgique : 23

Bellangé (famille) : 353

Bellangé (Pierre-Antoine) : 65,
302

Benedetto da Maïano : 40

Benneman (Guillaume) : 64,
239, 353

Bérain (Jean) : 40, 64, 121,
122, 168, 172, 232, 344

Berry (duchesse de) : 65, 270

Beurdeley (A.) : 65, 260, 354

Birckle : 250

Boffrand (Germain) : 64

Bologne : 22

Bonaparte : 58

Bonnafé (Edmond) : 9

Bordeaux : 15, 75

Böttger (J.F.) : 348

Boucher (François) : 36

Boucher : 348

Boudin : 42, 134, 153, 182

Boulle (André-Charles) : 16, 40, 46, 54, 60, 64, 75, 92, 93, 96, 98, 120, 122, 135, 168, 170, 172, 207, 341, 354

Boutet : 215

Brandt (Edgar) : 60, 65

Brésil : 15

Bresse : 85, 324

Bretagne : 14, 66, 88, 109, 110, 166

Briançon : 163

Bugatti (Carlo) : 136, 236, 315

Busquets : 235, 313

Byzance : 120, 266

Caffieri : 16

Canabas (Joseph) : 64, 354

Carabin (François Rupert) : 65, 121, 354

Carel : 43

Carlin (Martin) : 42, 47, 64, 260, 354

Centre : 169

Cévennes : 14

Ceylan : 14

Champagne : 157

Champeaux (Alfred) : 36

Chanaux (Alfred) : 354

Chareau (Pierre) : 237, 315, 354

Charles VIII : 67

Charles IX : 67

Charles X : 31, 68, 132, 154, 169, 195, 203, 209, 213, 217, 255, 256, 257, 258, 283, 302, 303, 304, 305, 329, 336

Chevigny : 289

Chine : 21, 36, 48, 51, 56,

120, 203, 244, 348, 352

Coard (Marcel) : 65, 354

Colping (voir Kolping)

Commynes (Philippe de) : 102

Compagnie des Indes : 139, 267

Compiègne : 65

Consulat : 67, 68, 240, 269, 300, 319, 344, 350

Convention : 64

Coromandel (laque de) : 51

Cotte (Robert de) : 64

Coutances : 89

Cremer : 65

Cressent (Charles) : 64, 128, 338, 354

Criaerdt : 64, 225, 242, 354

Cuba : 15, 262

Cupidon : 338

Dagobert : 266

Daguerre : 354

Damas : 21

Da Silva Bruhns : 65

Dasson (Henry) : 65, 128, 354

Dauphin (Le Grand) : 268

Dauphiné : 89, 318

Dautriche : 45

David (Louis) : 64, 269

Delanois (Louis) : 64, 284, 354

Delorme (Philibert) : 267

Demay (Jean-Baptiste) : 354

Desmalter (Georges-Alphonse) : 65, 355

Dessau : 31

Dester (G.) : 192

Deville : 65

Diane : 53

Diehl (Charles) : 65, 355

Directoire : 5, 11, 23, 30, 58, 67, 68, 169, 213, 269, 298, 299, 319, 338, 339, 340, 341, 343, 344, 345, 350, 352

Dominique : 263

Doubs : 80, 164

Doucet (Jacques) : 65

Dubois : 355

Dubut : 120

Du Cerceau (voir Androuet du Cerceau)

Dufrène (Maurice) : 130, 270

Dunand (Jean) : 51, 60, 65, 71, 156, 220, 236, 237, 238, 355

Dupain : 288

Durand (famille) : 355

Durand (G) : 155

Dusautoy : 226

Duvaux (Lazare) : 103, 169

Egypte : 158, 212, 266, 318

Egypte (retour d') : 206, 300

Ellaume (J.C.) : 177

Elysée (palais de l') : 270

Empire : 5, 11, 15, 22, 23, 30, 31, 35, 40, 44, 58, 64, 65, 67, 68, 75, 93, 128, 147, 149, 153, 169, 194, 203, 211, 213, 215, 217, 222, 223, 240, 251, 252, 253, 254, 269, 270, 300, 301, 302, 337, 338, 339, 340, 341, 342, 343, 344, 345, 346, 349, 350, 352

Espagne : 23, 64

Est : 101, 103

Estrée (Gabrielle d') : 139

Eugénie (Impératrice) : 12, 65, 68, 270

Europe : 14, 51, 58, 159, 223, 337, 348

Extrême-Orient : 36, 41

Feure (de) (Georges) : 65, 355

Feurstein : 188

Flandres : 40, 139, 160, 175

Foliot : 54, 355

Follot (Paul) : 355

Fontaine (Pierre, François, Léonard) : 64, 65

Fontainebleau : 65

Fourdinois (Alexandre-Georges) : 355

France : 15, 40, 159, 202, 223, 348

Franche-Comté : 80, 84, 87

Franck (Jean-Michel) : 355

François Ier : 40, 67

François II : 67

Fromageau : 241

Gaillard (A) : 285

Gaillard (Eugène) : 355

Gaillard (F) : 65, 234

Gallé (Emile) : 65, 93, 103, 111, 170, 198, 203, 213, 224, 234, 270, 313, 319, 355

Gallet (J.B.) : 241

Garnier (Pierre) : 46, 133, 355

Gaudi : 235, 313

Gaudreaux (Antoine) : 196, 355

Gay (Georges) : 355

Gênes : 22

Genlis (Mme de) : 121

Genty (D.) : 244

Gillot : 40

Girodée (A.) : 38

Giroux (Alphonse) : 356

Glomy (J.B.) : 40, 352

Gobelins : 27, 41, 64, 266, 276

Gobert : 64

Goncourt (Edmond de) : 65

Gothique (style) : 63, 160, 212

Goujon (Jean) : 63

Gourdin : 64, 276, 356

Grande-Bretagne : 159

Grasset (Eugène) : 65

Gray (Eileen) : 51, 65, 356

Grèce : 318

Grenoble : 178, 185

Grohé : 65, 356

Gropius : 31

Groult (André) : 356

Guérande : 162

Guillemart (François) : 64, 168

Guimard (Hector) : 65, 312, 325, 356

Guyane : 15

Hache : 178, 185, 356

Haute-Epoque : 22

Hautes-Alpes : 163, 164, 322

Havard (Henri) : 10

Hecquet : 64

Hédouin : 48, 240

Henri II : 23, 54, 67, 75, 103, 267, 319

Henri III : 67

Henri IV : 54, 63, 67, 105, 139, 267, 271

Herbst (René) : 66, 356

Herculanum : 56, 346

Heurtaut : 279

Hollande : 64

Hongrie : 42

Ile-de-France : 112, 184

Indes : 22, 51

Iribe (Paul) : 65 , 356

Isère : 165

Italie : 14, 23, 40, 64, 139

Jacob (Georges I) : 64, 254, 286, 287, 288, 290, 291, 293, 294, 296, 297, 299, 301, 349, 356

Jacob Desmalter (François-Honoré) : 65, 128, 147, 195, 356

Jallot (Maurice et Léon) : 220

Jansen (Michel) : 116, 356

Japon : 36, 56, 67, 352

Jasmin : 171, 172

Jeanselme : 65, 356

Jeanselme fils : 65

Joseph : 47

Jourdin (Francis) : 357

Jouy (Jouy-en-Josas) : 16, 22

Jura : 87

Kemp (G) : 249

Klein : 65

Knoll : 357

Kolping : 209, 357

Krieger : 65, 96, 259

Lacroix (voir Van der Cruse)

La Fayette (Mme de) : 121

La Fontaine : 41, 266, 273, 287

Lalique : 65

Landau (Nicolas) : 63

Languedoc : 23, 24

Lanvin (Jeanne) : 65

La Rochelle : 15, 75

Latz : 132, 180

Laurencin (Marie) : 237

Laurent (Jean) : 114

Lavasseur : 44

Lebon : 287

Le Brun (Charles) : 64

Le Corbusier : 66, 316, 357

Legrain (Pierre) : 65, 357

Legry (J.F.) : 251

Lelarge (J.B.) : 279, 284, 290, 291, 295

Leleu (Jean-François) : 64, 71, 95, 148, 197, 333

Leleu (Jules) : 199, 224, 357

Lemarchand : 65, 357

Lemercier : 64

Lepautre (Jean) : 64

Le Primatice : 46, 137

Lescot (Pierre) : 63

Levasseur (Etienne) : 357

Lincke (F.) : 334, 357

Loire-Atlantique : 162

Loire (Val de) : 271, 320

Louis XI : 102

Louis XII : 67

Louis XIII : 10, 29, 32, 45, 54, 63, 64, 66, 67, 103, 106, 107, 140, 162, 213, 267, 272, 319, 321, 322, 335, 341, 347, 348, 351

Louis XIV : 10, 15, 22, 23, 29, 31, 32, 54, 56, 58, 60, 64, 67, 68, 70, 74, 75, 89, 93, 96, 109, 118, 120, 121, 122, 123, 143, 167, 168, 170, 171, 172, 265, 268, 272, 273, 274, 275, 319, 338, 340, 343, 344, 345, 346, 348

Louis XV : 11, 16, 22, 23, 30, 31, 32, 40, 41, 42, 43, 47, 49, 56, 60, 64, 66, 67, 68, 70, 75, 82, 88, 93, 114, 115, 120, 121, 124, 125, 132, 133, 134, 150, 151, 152, 153, 168, 169, 177, 178, 179, 180, 181, 182, 183, 200, 204, 213, 221, 224, 225, 226, 241, 242, 243, 244, 261, 268, 269, 278, 279, 280, 281, 282, 309, 319, 332, 333, 334, 340, 341, 342, 348, 349, 350, 352, 353

Louis XVI : 11, 15, 16, 22, 23, 30, 31, 32, 35, 40, 42, 44, 45, 46, 47, 48, 49, 54, 56, 58, 60, 64, 68, 70, 75, 83, 92, 95, 96, 97, 116, 119, 121, 126, 127, 131, 134, 148, 149, 151, 169, 170, 191, 192, 193, 197, 200, 202, 203, 205, 206, 208, 213, 215, 223, 224, 228. 229, 230, 239, 240, 243, 247, 248, 249, 250, 251, 259, 260, 262, 269, 284, 285, 286, 287, 288, 289, 290, 291, 292, 293, 294, 295, 296, 297, 309, 310, 319, 327, 328, 330, 331, 333, 338, 339, 340, 341, 342, 343, 344, 345, 346, 347, 349, 350, 351, 352

Louis XVIII : 31, 68

Louis-Philippe : 11, 22, 23, 31, 33, 58, 60, 65, 68, 71, 75, 170, 203, 270, 305, 340, 341

Louvre : 27, 65, 139

Lyon : 22

Lyonnais : 272

Macassar (ébène de) : 15, 19, 129, 136, 224, 313, 314, 326, 329

Madagascar : 14

Mahogani : 15

Majorelle (Louis) : 65, 93, 98, 99, 100, 116, 129, 136, 219, 224, 235, 310, 311, 312, 325, 358

Malle : 246

Mallet Stevens : 358

Malot : 133

Malmaison : 65

Malte (croix de) : 54, 66

Manche : 75, 89

Mansart (François) : 64

Manser (J.) : 229

Marcel (A.) : 38

Mare (voir Sue)

Marie-Antoinette (reine) : 12, 58, 64, 65, 68, 206, 240, 248, 270, 295

Marly : 168

Martin (vernis) : 36, 51, 56, 96, 97, 352

Maurice (île) : 14

Mazarin : 120, 121, 122, 123

Mazaroz (Jean-Paul) : 358

Médicis (Marie de) : 64, 121

Meissonier : 64

Mercier : 118

Mercure : 53, 339

Mérimée (Prosper) : 65

Mesopotamie : 328

Meunier : 278, 280

Midi : 103, 169, 292

Migeon : 64, 183, 358

Modern Style (voir Art Nouveau)

Molière : 268

Molines-en-Queyras : 89, 322

Molitor (Bernard) : 64, 358

Moluques : 15

Monbro : 358

Montigny : 126, 230

Montpont : 85

Morbihan : 166

Moulins : 23

Mouthe : 164

Moyen-Age : 9, 29, 36, 53, 60, 65, 74, 102, 120, 158, 212, 318, 338, 340, 341, 345, 347, 348, 350, 351

Moyen-Orient : 16

Nadal : 358

Nancy (école de) : 65, 93, 343

Nantes : 15, 75

Napoléon I : 58, 223

Napoléon III : 12, 40, 54, 60, 65, 68, 70, 71, 93, 96, 97, 115, 117, 121, 134, 135, 170, 203, 207, 213, 224, 231, 232, 233, 270, 306, 307, 308, 319, 323, 329, 336, 339, 349, 350, 352

Néo-gothique (voir Troubadour)

Neptune : 53

Neufchâtel-en-Bray : 163

Nivert : 358

Nogaret : 279, 285

Nolhac (Pierre de) : 149

Nord : 108

Normandie : 35, 66, 80, 89, 211

Oberkampf : 22

Œben (Jean-François) : 64, 150, 188, 222, 248, 358

Ohneberg : 189

Oisans : 165

Oppenordt (Gilles, Marie) : 64, 358

Orient : 22, 56

Orléans (famille d') : 64

Orléans (Philippe d') régent : 68

Ouest : 103, 169

Palais-Royal : 64

Papst : 148

Paris : 27, 139

Pays-Bas : 64

Percier (Charles) : 64, 65

Perret (Auguste) : 65

Perriand (Charlotte) : 66, 130, 358

Petit (Nicolas) : 193, 205, 359

Philippe V : 268

Pierre-Grosse : 322

Pillement : 348

Pilon (Germaine) : 63

Pinard : 359

Pineau (Nicolas) : 64

Plée : 225

Plumet(Charles) : 65

Pluvinet : 297, 359

Poiret (Paul) : 65

Poirié : 292, 294

Poitou : 14

Pommier : 358

Pompadour (Mme de) : 11, 22, 64, 68, 169, 222, 269

Pompéi : 56, 346

Potarange : 335

Poussin : 64

Première République : 68, 339

Printz (Eugène) : 71, 326, 359

Provence : 66, 75, 114, 166, 332, 337

Prud'hon : 253

Psyché : 253

Pyrénées : 139

Pyrénées (Saint-Anne des) : 23, 24

Queyras : 164, 165, 322

Quinze-Vingts (quartier des) : 27

Ramond (Pierre) : 38, 49

Rambouillet : 65

Rateau (Armand) : 65, 71, 359

Récamier (Mme) : 269

Régence : 11, 22, 23, 29, 41, 48, 54, 56, 64, 68, 75, 88, 91, 93, 94, 95, 98, 120, 124, 133, 148, 168, 169, 173, 174, 175, 176, 201, 203, 213, 266, 268, 275, 276, 277, 338, 340, 342, 343

Reims : 102

Remond (Félix) : 359

Renaissance : 10, 14, 22, 29, 30, 40, 53, 54, 56, 58, 60, 63, 67, 74, 89, 105, 139, 146, 160, 202, 212, 267, 319, 320, 337, 338, 340, 341, 342, 344, 345, 346, 347, 350, 351

Rennes : 88

Révolution : 11, 27, 40, 58, 93, 213, 223, 343

Restauration : 11, 14, 15, 23, 30, 33, 40, 58, 65, 68, 71, 93, 149, 213, 215, 270, 304, 340, 341, 344, 345, 347, 349

Riesener (Jean-Henri) : 64, 196, 197, 206, 327, 359

Rochette : 190

Roentgen (David) : 44, 64, 119, 131, 359

Rome : 11, 158, 266, 318, 343

Roubo (André) : 38, 39, 50, 52, 359

Rouergue : 158

Rousseau (Clément) : 65, 71, 156, 235, 359

Rousseau (Jean-Jacques) : 56

Roussel (Pierre) : 125, 152, 169, 228, 359

Rouveyre (Edouard) : 9, 14

Rubestuck (François) : 96, 359

Ruhlmann (Jacques-Emile) : 65, 71, 118, 129, 136, 149, 156, 236, 313, 316, 326, 359

Saint-André (croix de) : 54, 66

Saint-Antoine (faubourg) : 27

Saint-Cloud : 290

Saint-Germain : 16

Saint-Leu : 288

Saint-Malo : 15, 75

Sambin (Hugues) : 63, 105, 360

Saône-et-Loire : 85, 322

Saunier (Claude-Charles) : 64, 91, 360

Savonnerie : 265

Schmidt : 229

Schmitt (F.L.) : 238

Schmitz : 221

Second-Empire : 14, 15, 22, 23, 31, 33, 36, 60, 65, 70, 75, 341, 342, 344, 350

Seconde République : 11, 31, 68

Seine-Maritime : 163

Sellier : 301, 360

Séné : 289

Sévigné (Mme de) : 121

Sèvres (porcelaine de) : 47, 49, 240

Sienne (jaune de) : 23, 24

Silène : 53

Sormani (Paul) : 65, 132, 262, 334, 360

Stöckel (Joseph) : 64, 360

Stumpff : 208

Style 1925 : voir Art Déco

Style « nouille » : voir Art Nouveau

Sud-Ouest : 66, 75, 169

Sue et Mare : 263, 314, 360

Sugawara : 51

Tallien (Mme) : 254

Temple (quartier du) : 27

Teune (F.J.) : 127

Thomire : 16, 353

Thonet : 130

Tilliard : 64, 281, 360

Topino (Charles) : 64, 226, 227, 228, 360

Toro : 201

Touraine : 89

Tout Ankh Amon : 212

Transition (style) : 42, 43, 49, 56, 68, 96, 97, 132, 188, 189, 190, 196, 207, 223, 226, 227, 228, 245, 246, 269, 339, 349

Trévoux : 139, 168, 240

Trianon : 58, 206

Troisième République : 31, 60, 68

Tronchin : 223, 229

Troubadour (style) : 30, 60, 68, 135, 304, 305, 340, 343, 346

Utrecht : 22

Valence (jaune de) : 24

Vallin : 65

Van de Velde : 65

Van der Cruse dit Lacroix (R.V.L.C.) : 64, 150, 151, 226, 243, 357

Vannes : 166

Van Risenburgh (B.V.R.B.) : 64, 181, 360

Vassou (J.B.) : 131, 249

Vendée : 66

Vénus : 53

Verbeckt : 64

Verlet (Pierre) : 11

Versailles : 23, 128, 215

Vial (Henri) : 38, 49

Vié : 183

Viollet-le-Duc : 12, 65

Voltaire : 223, 266, 270

Vouet (Simon) : 64

Wagner (Claude) : 360

Wassmus : 360

Watteau : 36

Weimar : 31

Weisweiler (Adam) : 64, 92, 202, 222, 230, 262, 354, 360

Werner (Jean-Jacques) : 360

Wertheimer (S.) : 231

Winckelsen : 197

Wolff (C.) : 181

Zwiener : 98, 261, 360

Quelques adresses utiles

Pour les ventes aux enchères publiques

A Paris

Compagnie des Commissaires-Priseurs de Paris, Nouveau-Drouot, 9, rue Drouot 75009 Paris. Tél. 246.17.11
Calendrier des ventes (téléphonique) : 770.17.17.

La Chambre Nationale des Commissaires-Priseurs, 13, rue de la Grange-Batelière 75009 Paris. Tél. 260.30.65
peut vous communiquer l'adresse des salles des ventes et études de commissaires-priseurs les plus proches de chez vous.

Experts :

Syndicat Français des Experts Professionnels, 15 rue Vaneau 75007 Paris.

Chambre Nationale des Experts Spécialisés (C.N.E.S.), 4, rue Longchamp 06000 Nice.

Antiquaires :

Syndicat National du Commerce de l'Antiquité et de l'Occasion (SNCAO), 18, rue de Provence. 75009 Paris.

Syndicat National des Antiquaires, 11, rue Jean-Mermoz, 75008 Paris.

Les grands centres d'antiquités à Paris

Le Carré Rive Gauche délimité par la rue du Bac, la rue de l'Université, la rue des Saints-Pères et le quai Voltaire regroupe quelques uns des plus importants antiquaires de Paris.

Le Louvre des Antiquaires regroupe 250 magasins d'art et d'antiquités, 2, Place du Palais Royal, 75002 Paris. Ouvert du mardi au dimanche de 11 à 19 h.

Les marchés aux puces à Saint-Ouen ouverts les samedis, dimanches et lundis.

Le Village Suisse; 150 boutiques d'antiquaires et de décoration, 78, avenue Suffren, 54 avenue de la Motte-Picquet, 75015 Paris.

Le Village Saint-Paul : rue Saint-Paul, rue des Jardins-Saint-Paul, rue de l'Ave-Maria et les cours. 75004 Paris.

Atelier Jean Alot

Ancien élève de l'Ecole BOULLE

Restauration Bois dorés
Sculpture, Polychromie

Cadres et encadrements
de
TABLEAUX – DESSINS – GRAVURES

Fournisseur des Musées Nationaux
Expert près des Tribunaux

5 et 9, rue du Pot-de-Fer, 75005 PARIS
Téléphone : (1) 707.73.29

nouveau drouot
compagnie des commissaires-priseurs de paris

Hôtel des Ventes, 9, rue Drouot - 75009 PARIS
Tél. : 246.17.11 - Télex : Drouot 642260

Modèle de J.F. Œben , exécution fin XIXᵉ signée F. Linke

LECOULES
Depuis 1905

62, rue Taitbout - 75009 Paris   Tél. (1) 874.69.69 et (1) 874.16.74

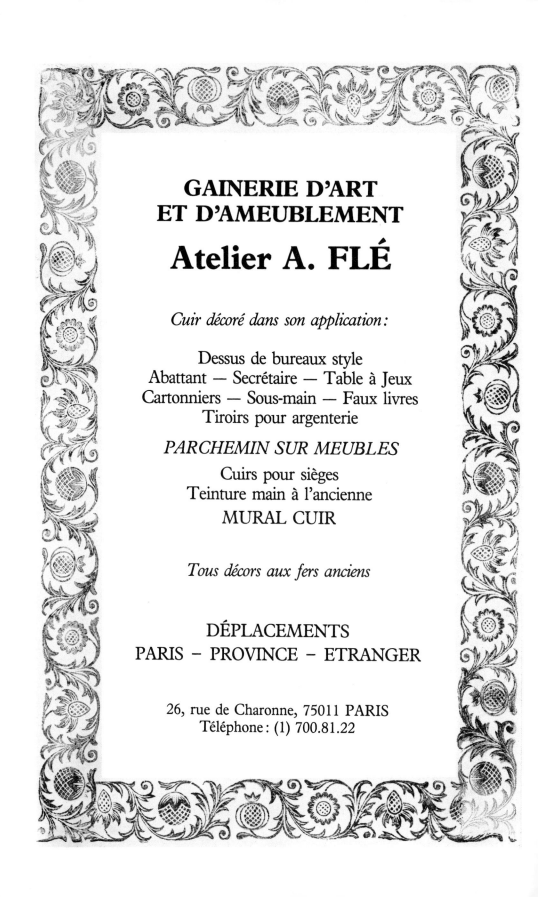

GAINERIE D'ART
ET D'AMEUBLEMENT

Atelier A. FLÉ

Cuir décoré dans son application :

Dessus de bureaux style
Abattant — Secrétaire — Table à Jeux
Cartonniers — Sous-main — Faux livres
Tiroirs pour argenterie

PARCHEMIN SUR MEUBLES

Cuirs pour sièges
Teinture main à l'ancienne
MURAL CUIR

Tous décors aux fers anciens

DÉPLACEMENTS
PARIS – PROVINCE – ETRANGER

26, rue de Charonne, 75011 PARIS
Téléphone : (1) 700.81.22

Ancien
ou Moderne?
CREDIT SOFINCO

COURS de perfectionnement
pour ANTIQUAIRES
dans le cadre de la formation professionnelle

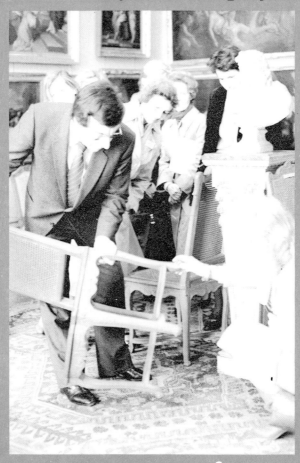

CENTRE D'ÉTUDE
D'OBJETS D'ART
cours à la formation de la profession d'antiquaire

DORURE ET ARGENTURE SUR MÉTAUX
Reproduction et restauration d'ancien

MAISON MAHIEU S.A.

VÉRITABLE DORURE AU MERCURE
VERMEIL AU MERCURE

Dorure nitratée au feu
Bronzes, Vernis
Patines à l'ancienne
Réargenture à l'ancienne

37, rue de Charonne, 75011 PARIS
Téléphone : (1) 355.88.25

Michel Germond
Ebéniste-Restaurateur
Marqueterie et sièges
des XVIIe et XVIIIe siècles
Expert près la Cour d'Appel
78, quai de l'Hôtel-de-Ville, 78
F - 75004 Paris - Tél. : (1) 278-04-78

CET ECUSSON GARANTIT VOS ACHATS.

LE **S**YNDICAT **N**ATIONAL
DU **C**OMMERCE DE L'**A**NTIQUITÉ
ET DE L'**O**CCASION
MORALISE LA PROFESSION
D'ANTIQUAIRE ET DE BROCANTEUR.

LE **S.N.C.A.O.** GARANTIT
L'ACHETEUR.
LES COMMERCANTS QUI
APPOSENT LE MACARON
SYNDICAL CI-CONTRE ONT PRIS
L'ENGAGEMENT DE DIRE TOUTE
LA VÉRITÉ SUR LA MARCHANDISE.

LE **S.N.C.A.O.** PRÉSERVE
VOS DROITS, ET RÈGLE
TOUS LES LITIGES.

18 RUE DE PROVENCE. 75009 PARIS.
TÉL. : 770.88.78.

Tables des matières

	pages
Préface	5
Les meubles et leur destination	9
Les matériaux	13
Essences de bois	17
Marbres	24
La construction du meuble	25
Assemblages	26
Menuisiers et ébénistes	27
Les formes	29
Répertoire de formes	31
Les procédés de décoration	35
Tapisseries	41
Marqueterie	42
Cuivres, bronzes et céramiques	46
Laques	48
Vernis Martin	51
Ornementation et décor	53
Répertoire décoratif	55
Du style et des styles	63
Chronologie des styles	67
Style, époque, copie et faux	69
Les meubles anciens : une valeur refuge	71
Armoires	73
Bibliothèques et vitrines	91
Buffets, bahuts, crédences et vaisseliers	101
Bureaux et tables à écrire	119
Cabinets	137
Coiffeuses et tables de toilette	147
Coffres et panetières	157
Commodes et chiffonniers	167
Consoles, dessertes et encoignures	201
Lits	211
Meubles d'appoint	221
Secrétaires	239
Sièges	265
Tables	317
Tables à jeu et billards	327
Lexique des termes techniques	337
Dictionnaire des ébénistes	353
Index des noms propres	361
Quelques adresses utiles	369
Bibliographie	389

Bibliographie

Bibliographie du meuble (Mobilier civil français) par Jacqueline Viaux,
Société des amis de la Bibliothèque Forney.

Styles, meubles et décors du Moyen Age à nos jours,
deux tomes sous la direction de Pierre Verlet, Éditions Larousse.

Les ébénistes parisiens, leurs œuvres et leurs marques 1795-1870,
par Denise Ledoux-Lebard, F. de Nobele.

Les ébénistes du XVIIIe siècle, leurs œuvres et leurs marques,
par le Comte François de Salverte, F. de Nobele.

Art-Déco : Les maîtres du mobilier, par P. Kjellberg, Éditions de l'Amateur.

Le meuble bourgeois en France par Guillaume Janneau, Garnier.

L'Art et la manière des maîtres ébénistes français au XVIIIe siècle,
par Jean Nicolay, Pygmalion.

Le Mobilier français par Pierre Kjellberg, 2 volumes, Guy Le Prat.

Le Mobilier populaire français par Guillaume Janneau, Berger-Levrault.

La Grande Encyclopédie des meubles, Éditions Princesse.

Le XVIIIe siècle français, Collection Connaissance des Arts.

Les Sièges, par Guillaume Janneau, Éditions Jacques Fréal.

Dictionnaire de l'Ameublement par Henry Havard, 4 vol. 1887-1890.

Dictionnaire illustré des antiquités et de la brocante,
sous la direction de Jean Bedel, Larousse.

L'art du menuisier, par André Roubo, Paris 1769-1774, réédition Léonce Laget.

Traité de marqueterie par Pierre Ramond, Éditions Vial.

Bois, essences et variétés, par jean Giuliano, Éditions Vial.

Remerciements

Nous tenons à remercier tout particulièrement
la Chambre Nationale des Commissaires-priseurs
et la Compagnie des commissaires-priseurs de Paris
qui nous ont communiqué la plus grande partie des photographies
et plus particulièrement les études suivantes :
Mes Ader, Picard, Tajan – Mes Aguttes et Laurent – Me Anaf – Mes Audap, Godeau, Solanet
Me Binoche – Me Bondu – Me Boscher – Mes Boisgirard, de Heeckeren – Me Bretaudière – Me Briest
Me Cardinet – Mes Champin, Lombrail – Mes Chapelle, Perrin, Fromantin – Me Chayette
Me Cornette de Saint-Cyr – Mes Couturier, de Nicolay – Me Darmancier – M^e De Cagny
Mes Delaporte, Rieuner – Me Delorme – Me Deurbergue – Me Dupuy – Me Feydy – Me Gautier
Mes Genin, Griffe, Leseuil – Mes Germain, Desamais – Me Girard – Me Grandin – Me Guérin
Me Guichard – Mes Guillaumot, Albrand – Me Ionesco – Mes Jozon, Rabourdin, Choppin de Janvry
Me Labat – Me Langlade – Mes Laurin, Guilloux, Buffetaud, Tailleur
M^e Le Blanc – Mes Lelièvre, Bailly-Pommery – Mes Lenormand, Dayen – Mes Liber, Castor
Mes Loudmer, Poulain – Mes Loiseau, Schmitz – Me Machoïr – Me Martin – Mes Martin, Desbenoit
Me Massart – Mes Mercier, Velliet, Thullier – Mes Millon, Jutheau – Me Morelle – Me Offret
Mes Oger, Dumont – Me Osenat – Mes Peron, Corsy – Mes Pescheteau, Pescheteau-Badin – Me Renaud
Mes Reymonenq, Fusade – Mes Rheims, Laurin – Me Ribault-Ménetière – Me Ribeyre
Me Rogeon – Me Segeron – Me Thion – Mes Verhaeghe, Hervouin

Nous tenons également à remercier
Le Musée des Arts Décoratifs de Paris,
le Musée des Arts et Traditions Populaires
ainsi que Mme Annie Wattiez, M. Claude Ananoff, MM. Lepic et Nazare-Aga,
M. Coquard, marbrier à Montreuil-sous-Bois,
M. J.-M. Semoux, antiquaire à Reims, MM. Steinitz et Lecoules, antiquaires à Paris,
enfin les publications suivantes :
L'Estampille et la Gazette de l'Hôtel Drouot

Avec la collaboration de
Jean Colson, Tony Corsin, Sophie Hervas
pour la réalisation littéraire et artistique